mai 2002

UNE TOUTE PETITE HISTOIRE SANS COUP DE FEU

Les éditions de la Pleine Lune
223, 34e Avenue
Lachine (Québec)
H8T 1Z4

www.pleinelune.qc.ca

Documents de la couverture :
© Michel Lancelot, *Les Matrices,* 2001

Infographie et montage :
Jean Yves Collette

Diffusion pour le Québec et le Canada :
Prologue
1650, boulevard Lionel-Bertrand
Boisbriand (Québec)
J7H 1N7
Téléphone : (450) 434-0306
Télécopieur : (450) 434-2627

René Girardet

Une toute petite histoire sans coup de feu

roman

éditions de la
pleine
LUNE

Les éditions de la Pleine Lune remercient le Conseil des arts du Canada de l'aide accordée à leur programme de publication. Elles remercient aussi la Société de développement des entreprises culturelles (SODEC) pour son soutien financier, et reconnaissent l'aide financière du gouvernement du Canada par l'entremise du Programme d'aide au développement de l'industrie de l'édition (PADIÉ) pour leurs activités d'édition.

ISBN 2-89024-146-7

Dépôt légal – premier trimestre 2002
Bibliothèque nationale du Québec
Bibliothèque nationale du Canada

Pour Fanie, bien sûr...

Il faut terriblement vieillir, pour renoncer à la vanité de vivre devant quelqu'un !

COLETTE

Sa fesse tremblait sous la main comme le lait caillé dans l'écuelle du bédouin.

Les Mille et Une nuits

1

Une main invisible lui tordait la figure. D'où j'étais, coincé dans la bretelle d'accès de l'autoroute, je pouvais distinguer les veines mauves qui saillaient sur son cou et qui, tels des lombrics grimpaient vers ses tempes. Le petit espace qui se créait à l'occasion entre son auto et la précédente semblait l'épouvanter, il grimaçait horriblement quand il s'y précipitait. Cet homme était tout ce que je détestais.

C'était pourtant une belle journée. Des étincelles jaillissaient des capots, quelques bras pendaient aux portières. Sans ces dix mille types qui derrière moi s'impatientaient, je me serais sûrement contenté de tendre une joue au soleil, et merci beaucoup, au lieu de détester ce gros joufflu qui, à tout prix, voulait m'empêcher de prendre place parmi les autres dans la file.

Je me le suis roulé dans la boue encore un coup, mais plus j'essayais de me faire remarquer, plus le gros m'ignorait. J'aurais aimé le tuer, le brasser un brin à tout le moins. Je dessinais mon homme du coin de l'œil. J'aurais donné pas mal pour le voir dans le désert, grimpé sur le dos d'un chameau, affamé au pied d'un bananier, ou tout simplement en train de nouer ses lacets de souliers. Est-ce qu'un type comme celui-là possède une âme ? Cela m'embêtait toujours quand je me posais ce genre de question. La gêne m'envahissait. J'aurais voulu ne jamais avoir cette sorte de pensée dans mon cœur, être affable. Ou bien alors être carrément méchant, ça j'aurais vraiment aimé. Ouais ! Reste que si j'avais été une âme, je me disais souvent, j'aurais préféré m'installer dans le cœur d'une jolie fille ou bien encore dans celui d'un enfant. Je me suis mordu les lèvres. Encore une fois. Ainsi soit-il !

Contrairement à ce que ma blonde racontait, je ne tenais pas vraiment à la tristesse, ce n'était pas une obligation, je suis certain que j'aurais pu vivre autrement.

Un klaxon m'a tiré de ma rêverie. J'ai débrayé.

Comment allais-je m'en tirer maintenant ? Est-ce que je n'aurais pas dû refuser tout simplement ? Est-ce que ça ne se voyait pas comme le nez au milieu du visage qu'il était trop tard, que ma date d'échéance était passée depuis belle lurette ? Si je n'avais pas tant aimé ma fille. Les choses auraient pu être différentes. Et ça ne m'aurait pas dérangé le moins du monde qu'elle vive avec un type qui me ressemble.

Trente minutes de nouvelles à la télé ont toujours suffi à me déglinguer. Est-ce que je dois prendre les armes ou croiser les bras ? Incapable de me décider, l'esprit embrouillé, j'hésite toujours entre la carabine tronçonnée, le scotch à la caisse ou le monastère. Je suis, je crois, ce que l'on appelle un type névrosé. Mais je le dis sous toute réserve, car je n'ai aucune preuve officielle pour en attester. Sauf ma blonde, Jocelyne, qui se dit prête à en témoigner. Qui trouve que j'exagère, quand je rêve d'organiser un grand prélèvement de chair sur certains, afin de remplir les ventres affamés de quelques autres. Elle dit aussi des tas d'autres choses, ma brune...

J'ai longé mon homme un temps sur l'accotement, j'ai fait voir cinq doigts dans sa direction, pour n'en laisser qu'un à la fin, celui du milieu. Mes tempes brûlaient, il commençait à m'exaspérer, des rougeurs coloraient mes jointures. Ce type n'était rien pourtant. Rien de rien. Ça n'avait aucune espèce d'importance, ça ne valait même pas un pet de politicien, mais quand même. Le gros singe feignait toujours de m'ignorer. Je lui ai tiré la langue, j'ai claqué du plat de la main sur ma portière, puis je me suis carrément éjecté le haut du corps par la vitre baissée pour le traiter de trou du cul, mais ça n'a rien donné de plus qu'un deuxième singe, avec vingt litres de sang dans les oreilles.

Un monde étrange assurément... Mais j'y suis, j'y respire et je me demande si ce n'est pas pareil pour vous, si un peu de tristesse ne vient pas vous parfumer le cœur de temps à autre. Et je ne peux m'empêcher de me demander si sans quelques individus, un ou deux milliards à tout prendre, on n'aurait pas eu plus de chances de s'en sortir.

Superman m'ignorait toujours. J'ai fermé les yeux. Mes épaules sont doucement retombées. J'ai respiré un coup, je me suis passé les mains dans la figure, je me suis enfoncé les yeux au fond des trous et je me suis dit : ça suffit. J'ai passé la première vitesse, puis la deuxième, et je me suis amené le long de mon homme, et de sa grosse Berta, un doigt pointé dans sa direction, les yeux dans les siens une fraction de seconde, puis je me suis glissé devant lui sans respirer.

Je n'ai entendu aucun bruit. Sauf un craquement dans ma tête. De la glace dans les boyaux, les dents serrées, un frisson sur l'échine, je n'aimais pas quand ça arrivait. Et ça arrivait souvent. Adieu tendresse, bonjour angoisse, prêt à trucider la terre entière, et ça pouvait durer des jours et des mois. Et si l'on songe que le seul remède connu était une cuisse de velours, un brin d'amour, le fond d'une bouteille, une crise de nerfs... Eh ! Doux Jésus ! Allez donc prendre soin d'un petite douceur avec ça, sans salir la mer qui valse dans ses yeux !

On filait facilement à deux, trois kilomètres à l'heure maintenant, ça tenait bien dans les courbes, on ne se rendait compte de rien. Il se pourrait que je me sois endormi.

Un sonnerie, quelques mots qui longent un fil pour tomber dans une oreille, voilà à quoi tient la vie parfois ! Presque rien, mais suffisant. Une voix de femme qu'on a fait pleurer. Une voix qui revient vous repêcher pour vous déposer sur la rive où c'est si difficile de respirer. Une seule flèche en plein cœur, une patte d'ours sur le dos d'un saumon, et vlan ! Que je te frappe un peu sur la pierre pour t'enlever le goût de gigoter.

Si j'aimais vraiment ma fille ? Voilà ce qu'elle m'avait demandé ! Et je ne me souviens pas qu'elle eût attendu une réponse... Elle, qui pouvait tenir une conversation toute une soirée avec dix mots et un décolleté, m'en avait bien aligné une centaine sans respirer. « Il est temps que tu fasses ta part ! avait-elle clôturé », avant de se permettre une bouffée d'air. Et ce ton qu'elle avait employé ! J'en étais demeuré stupéfait et n'avais pu que murmurer quelques mots en baissant les yeux, tout juste si je n'avais pas demandé pardon. Et le diable si j'y comprenais quelque chose ! Je m'entends encore lui dire que oui, oui, ça m'allait bien, je ne voyais aucun problème, même, c'était une sacrée bonne nouvelle... m'occuper de ma Julie me ferait grandement plaisir. Et quoi encore ! Comme si c'était possible, comme si j'avais la tête de l'emploi !

Bien sûr que j'aimais ma fille, quelle question ! Mais quand même... Pauvre petite ! C'est à peu près tout ce que j'en pensais. Aussi bien l'enfermer dans un foyer de vieillards, je me disais. Lui faire vider des pots de pipi tant qu'à y être. Je suis né vieux. J'ai toujours eu mille ans. J'ai mal partout, coincé dans mon ventre, comme une ancre rouillée enchaînée à un rocher. J'ai vu le Christ agoniser. Je jure que j'y étais.

Les rideaux tirés, une bouteille de scotch en équilibre sur le nombril, pas rasé pas lavé, allez donc ! Papito deux jours, j'y arrivais toujours, mais Papito tout le temps... J'ai soupiré démesurément. Pauvre petite ! Voilà, ma belle Julie, papa va t'expliquer : le monde est pourri ! C'est comme ça et c'est tout ! Amène-toi, je t'offre une poutine !

Et Jocelyne, ma tendre sorcière, qui m'appelle maintenant mille fois par jour pour me répéter, en se tenant le ventre, qu'elle ne s'est pas amusée autant depuis une éternité, en fait, depuis le soir où elle a découvert son clitoris. « Je suis bien content que tout ça te réjouisse, ma blonde ! » Je le dis chaque fois avant de raccrocher.

2

Devant chez la mère de ma fille, je me suis garé le long des arbres. Je suis resté quelques minutes accroché au volant avant de me décider. Le cuir beige des sièges luisait par endroits, je me suis penché et j'ai fiché mon grand nez dedans. Ça sentait gentiment la vie, ça laissait entendre qu'il ne fallait pas trop s'en faire, qu'on trouve toujours où poser son cul un moment. Je suis descendu, j'ai fait quelques pas, j'ai levé les yeux vers la porte de la maison et j'ai encore hésité.

Je me suis appuyé à un arbre et j'ai regardé vers le haut. Tout avait l'air parfaitement normal. L'indifférence suprême. Tout juste un petit nuage pour s'effilocher au-dessus de ma tête, un filet de vent pour discuter avec une branche. Une fourmi est montée sur ma chaussure, j'ai attendu qu'elle redescende. Puis j'ai agrippé les rampes de l'escalier. Je me suis arrêté après une marche ou deux, j'ai relevé les yeux vers un ciel aussi bleu que le voile de Marie, mère de Jésus... j'ai soupiré...

La mère de ma fille me rendait tout ce qu'on voudra, sauf vertueux, et cela, même si je ne le voulais pas. Rien à faire, je n'apprenais jamais. Un véritable parcours du combattant, un truc pas très agréable, ça s'entend. Du pure vice. Je ne succombais jamais, ou si peu, ce qui ne m'empêchait pas de me sentir des plus malhonnêtes. Un truc pas bien, je vous dis. De la bile jusqu'au ras du cou. J'ai levé encore une fois les yeux. Le ciel demeurait tout bleu. Je suis monté en douceur, sur de la soie, en me marchant sur le cœur. Je pensais à Jocelyne, comme à l'habitude j'essayais de l'oublier... Fermer sa gueule, ça ne doit pas être si difficile que ça, je me disais. Quand j'ai posé le pied sur le balcon, j'ai su encore une fois qu'un truc pas comme il faut se cachait derrière la vie. Personne n'aurait pu me convaincre du contraire. Je sentais l'œil du diable derrière la caméra. Malsain...

Louise me tournait le dos, la jupe remontée au ras des fesses. Un album de souvenirs. Elle aurait été sur les genoux à réciter le chapelet, que ça n'aurait pas été mieux. Doux Jésus et toute la Sainte Famille !

J'avais pourtant envie d'être un type correct, un gars sur qui on pouvait compter, un homme intelligent avec de belles et grandes pensées, et une âme aussi lisse qu'une boule de billard. La huit, tiens, direct dans le coin... J'en avais envie surtout pour Jocelyne qui, elle, n'avait envie de rien. Naître millionnaire aux Bahamas ou aux îles Vierges m'aurait bien plu aussi.

Un minuscule petit balai sautillant au bout de sa main, Louise rameutait les poussières indisciplinées. Pour éviter de marcher dans le petit tas de détritus à ses pieds, elle s'étirait de plus en plus. Sans plier les genoux... J'ai entendu les nerfs de mon cou craquer quand j'ai réussi à détourner la tête un instant, mais aussi sec, les mains du diable m'ont remis sur la voie de mon destin. Malsain, je le répète. Rien de bon pour un type normal. De quoi avoir envie de s'inscrire à la faculté de droit, juste pour apprendre à mentir. L'ouverture de la porte a agi sur mon nez comme une tonne d'ammoniac, il m'a semblé qu'il y avait dix ans que je n'avais pas respiré.

— Tu te rinçais l'œil, mon salaud !

Si ça n'avait été que l'œil, je ne dis pas. Je nageais dedans, je me la faisais de toutes les façons, par-devant, par-derrière, les doigts crispés dans sa crinière : deux bonnes claques, et prends ça, ma salope ! Et dire que, du ciel, ma mère me regardait peut-être. J'ai tiré sur mon chandail, je me suis avancé vers la chaise la plus proche, je suis passé derrière, le dossier était juste à la bonne hauteur. Je devais avoir pris des couleurs. La honte, je vous dis.

— Ça va ? ai-je demandé, pour meubler le silence.

— Comme tu vois ! elle a fait, en prenant la pose...

Ses mollets mentaient comme des curés de campagne, mais ils mentaient joliment, tout comme elle, d'ailleurs. J'étais certain que, malgré les apparences, pas un seul petit muscle ne nichait là-dedans. Vous auriez pu la tuer en lui enfilant une paire de skis ou des patins, seul un fou furieux aurait pu avoir une idée pareille. C'était une femme pleine de promesses. Désirable et provocante. Aussi simple que cela. Et elle n'allait pas le démentir avec les années. C'est injuste, j'en conviens, mais comme ça. Tous les hommes avaient envie d'elle. Tous. Fallait avoir les nerfs drôlement solides pour vivre avec ça. Je n'aurais su dire si l'idée du paradis était une chose qui la tracassait. Discuter était ce qui nous avait amenés devant monsieur le curé. Je ne voyais que Julie pour avoir inventé un truc semblable.

— T'as pas le goût d'enlever tes souliers, ça te fatigue pas à la longue ?

— Mes souliers, non, ça va... seulement ma petite culotte de temps à autre ! Toi ?

C'était tout elle de répondre de cette manière, avec le sourire idoine et un brin de crasse dans les yeux. Elle n'aurait pas fait un pas sans ses maudits talons. Idem pour le maquillage d'ailleurs, qu'elle s'appliquait au sortir du lit, qu'elle retouchait cent fois dans la journée, qu'il pleuve ou qu'il neige. Même lors de son accouchement, entre deux contractions, elle avait demandé son fard à paupières et avait trouvé le moyen de m'insulter, sous prétexte que je ne tenais pas le miroir à la bonne hauteur, et je vous épargne la scène où elle s'était barbouillée en se mirant dans la photo qui était placée sur la tombe de sa tante.

— T'es sérieuse pour Julie ?

— Cette fois, oui ! Tu sais... Et puis je suis fatiguée de répéter les mêmes affaires !

— Quelles affaires ?

Quand j'ai levé la tête, elle souriait. Puis quand elle m'a dit que j'étais encore beau pour mon âge, j'ai souri à mon tour. Évidemment, comparé à la bande d'adolescents qui lui collait où vous savez, je devais donner l'impression d'être une curiosité. Je lui ai répliqué que je n'avais pas cent ans, que ce n'était tout de même pas la visite au musée. Elle m'a répondu que ce n'était pas ce qu'elle avait voulu dire.

Je savais qu'elle m'avait flairé, ça se voyait dans ses hanches. Je décodais très bien ce qu'elle avait voulu dire, ce n'était pas une chose très compliquée. Sauf après évidemment, où là, ça n'en finissait plus de s'emberlificoter.

Une main dans les cheveux, elle s'est tournée lentement, avant de se pencher à nouveau sur son petit balai et, l'espace d'un instant, j'ai vu ses yeux qui me bombardaient, comme deux petits vagins lumineux, je dirais. Une douche froide aurait été l'idéal, mais j'ai coupé au plus court et je suis entré dans la chambre de Julie.

J'ai tournaillé un moment en caressant ses guenilles, je me suis blotti dans le cou d'une vieille poupée chiffonnée, j'ai tripoté son baladeur, mais le cœur n'y était pas. Autre chose m'habitait, un désir malheureux, une espèce de folie, l'envie ridicule de goûter encore une fois, et l'idée absurde que la vie pouvait vous oublier un moment, que l'œil du Vieux Bonhomme pouvait être occupé ailleurs l'espace d'une connerie.

— T'as l'air nerveux !

— Je pense à des tas de choses. Des choses du passé.

— Les choses sont bien comme elles sont !

— Tu crois vraiment ?

Elle m'a souri. Je me suis senti triste. J'aurais aimé être le bon Dieu mais, même en l'étant, je ne crois pas que j'aurais su quoi lui donner. Peut-être qu'en effet les choses étaient bien comme elles étaient, peut-être que j'étais juste un crétin ? Un type de plus qui ne savait pas ce qu'il voulait. J'avais essayé de la comprendre, mais n'y étais pas parvenu, et je crois qu'elle avait fait de même pour moi et qu'elle était arrivée au même résultat. Avec pas mal de poudre et quelques nuages de fumée, on s'était tracé un route rocailleuse, de quoi s'en prendre plein la gueule, et ça n'avait pas raté. Tout cela me revenait en mémoire et bien d'autres choses aussi. Il y avait belle lurette que l'on ne s'était retrouvés un moment en tête à tête.

— Écoute, Louise !

— C'est pas la peine, allez !

— Faudrait quand même appeler Julie, non ?

Louise n'a pas répondu et s'est contentée de sourire. De mon côté, j'ai fait exactement le contraire de ce que j'aurais voulu faire, j'ai retiré mon manteau, l'ai laissé choir sur mes cuisses. Un nerf dansait sur mon cou, j'ai remué la tête, me suis massé la nuque. Un moment, j'ai pensé pouvoir me lever, j'ai bougé les jambes, mais c'est à peine si j'ai réussi à me soulever d'un centimètre. Je me suis rabattu sur mon paquet de cigarettes. J'en ai tiré une comme si j'avais la vie devant moi, comme si je faisais du cinéma. Je l'ai allumée, j'ai soufflé la fumée vers le plafond. J'ai fixé le petit nuage qui voyageait dans la pièce, je suis monté dessus un instant. Puis le nuage est disparu et j'ai eu beau chercher, je n'ai plus rien trouvé.

Mes yeux n'en étaient pas moins avides. Un fil invisible les tirait, tout ce que je comprenais, c'est que mes chiens m'avaient préféré le diable. J'ai croisé et décroisé les jambes, les ai de nouveau recroisées. Elle continuait à bricoler et tournait un peu la tête vers moi à intervalles réguliers, elle souriait...

— Julie arrive bientôt ?

Elle s'est étirée pour poser un verre sur une tablette et ça n'a rien arrangé du tout. Elle ne portait pas de jarretelles, ses bas élastiques lui enserraient le haut des cuisses. Un coulée de plomb s'est figée dans mon pantalon. Mon manteau sur mes genoux s'est cambré comme un vieux chat de gouttière. J'ai nettement entendu quelques plombs sauter dans ma cervelle.

— Elle est avec la Clo, je l'appelle si tu veux... Si c'est vraiment ça que tu préfères, elle a ajouté.

— Peut-être que cela serait mieux pour nous deux, tu ne crois pas ?

— Pour toi, peut-être. Arrête de t'en faire, je ne te demande rien...

— Je sais, j'ai dit.

Mais je ne savais rien du tout. J'ai toujours l'impression que le monde entier me demande quelque chose.

Je regardais avec tristesse ma fierté s'éloigner. Une pince géante me maintenait au-dessus de la braise, chacune de ses respirations, ses moindres mouvements alimentaient la flamme. Des ongles, je m'arrachais la mémoire, le cœur m'était descendu dans le ventre, chacun de ses regards me fouettait l'âme. Un bout de tissu noir s'est relevé sous la pression de ses longs doigts, une dentelle s'est déposée comme une fleur sur ses chevilles, elle l'a négligemment chassée du bout du pied.

— Merde ! j'ai dit.

— Tu te souviens ! elle a fait.

Chaque parcelle de sa peau lançait des flèches enflammées en naissant à la lumière. Chacune m'atteignait. Elle s'est avancée d'un pas, s'est arrêtée, ses mains ont caressé ses hanches, elle a écarté les jambes comme si elle allait pisser devant moi, puis m'a regardé dans les yeux comme si elle allait dégainer. Elle s'est assise sur la pointe de mes genoux, et dès l'instant où ses mains baguées ont effleuré mon ceinturon, le soleil a disparu, donnant l'impression presque irréelle que, véritablement, nous nous enfoncions. Un courant d'air froid s'est alors glissé comme une couleuvre sur mon échine, je l'ai senti me longer, puis j'ai abaissé mes paupières en serrant les dents. Des machins rappliquaient déjà de tout bord tout côté, une manière de film en marche arrière. J'étais entre ses cuisses comme dans une prison, je serrais ses bras comme des barreaux, je n'étais déjà plus là pour en profiter. Elle a fait quelques bonds en lorgnant entre ses cuisses, puis elle a envoyé valser sa chevelure et m'a souri comme si elle allait déverser tout l'or du monde à mes pieds. Je me suis senti aussi pauvre que Job sur son tas de fumier.

Avec Jocelyne, c'était tout ou rien. Un type ordinaire, elle n'en avait que faire. J'avais eu beau lui expliquer cent mille fois que c'était justement ce que j'étais, un type ordinaire, que peut-être un jour elle devrait le comprendre, c'était la vie, on ne pouvait jamais savoir...

Quand Louise m'a demandé si j'avais aimé, j'ai fait celui qui n'avait plus d'oreilles. Je me suis recroquevillé au fond de mon ventre, me suis attrapé une cigarette et l'ai allumée, en réfléchissant à ce qui m'attendait.

Une trahison de la sorte pouvait me coûter la peau des fesses, me créer des histoires à n'en plus finir. Ça me faisait toujours sourire quand des types me racontaient ce qu'ils avaient pris dans la gueule. Je leur glissais alors un bras autour des épaules, c'est rien, je leur disais, Jocelyne me mettrait une balle entre les deux yeux. Le moment était-il venu ? Coupable ou non, je n'en savais rien ou ne le savais que trop. J'enviais mon voisin et, pourquoi pas aussi, le type dans sa grosse Berta, si j'avais pu choisir, tiens ! « Dis-moi avec qui, mon salaud, tu me dois au moins ça ! »

J'ai eu tout chaud en y songeant, je me suis appuyé un moment au dossier d'une chaise, le plancher fuyait sous mes pieds. Tout valsait autour, mon corps bouillonnait, comme si j'avais attaqué une banque et qu'en sortant j'étais tombé sur une centaine de policiers braquant leurs armes dans ma direction. C'était aussi triste et aussi simple que ça... J'en ai encore pour combien de temps, docteur ? Ça dépend...

De quoi, docteur ?

D'elle, mon ami, d'elle...

Puis des pas dans l'escalier, et Louise, d'une main balayant les plis de sa jupette, de l'autre replaçant une mèche égarée.

— Ça va ? elle a demandé, en me clignant de l'œil...

— Oui, j'ai répondu, la bouche tordue comme un serpent sur la braise.

— Ça restera entre nous... T'en fais pas !

— Est-ce que Julie sait qu'elle vient demeurer chez moi ? ai-je chevroté, la queue de chemise coincée dans ma ceinture.

La réponse ne m'est jamais parvenue car deux maléfiques sourires déboulaient à nos pieds, et moi, si empressé habituellement, je n'ai pas osé me jeter sur les joues de ma fille.

— Est-ce qu'on peut apporter Claudine avec nous ?

— Amener, Julie, amener, j'ai dit, tout en jetant un regard complice à la Clo, dont on aurait dit que le bras allait se détacher de l'épaule, tellement sa valise semblait lourde.

Lorsque Louise m'a tapoté la croupe dans l'encadrement de la porte, j'ai cabré les reins, j'ai serré les fesses, je me suis senti comme une putain avec qui on se croyait tout permis.

3

Nous nous sommes engouffrés dans la Honda. Une boucane noire s'est mêlée aux rires qui s'échappaient par les fenêtres entrouvertes, j'ai abaissé un peu plus la mienne. Je me sentais raide comme la mort. J'étais malheureux comme les pierres. J'ai espéré qu'un trou se creuse dans ma mémoire, que l'heure passée se perde dans la partie la plus inaccessible de mon âme bête. Pour l'instant la chose flottait en surface...

Après quelques détours et deux ou trois dépanneurs, je me suis quand même adossé, j'ai soupiré un grand coup, j'ai passé la cinquième, on a gagné en vitesse. Et, pour dire quelque chose...

— Vous n'avez pas trop de vent à l'arrière ?

Et cette foutue banlieue qui me menaçait, me narguait. Qui, j'en étais certain, ricanait. Ce damné trou était aussi dangereux qu'un nid de vipères. Pour peu que vous y restiez un moment, le cœur vous ramollissait, c'est évident, à preuve le mien qui, sans livrer bataille, avait rendu les armes. Ce n'était pourtant pas si loin de la ville, mais c'était tout de même le bout du monde. On n'y tuait pas les gens plus souvent qu'ailleurs, les oiseaux chantaient comme partout, on n'y était pas enterré sous le bruit, on y trouvait du pain cinq grains, du bon fromage et de la bière artisanale... On y était trop bien, on y mourait tout mou, un tuyau d'arrosage à la main, à asperger son petit bout de trottoir comme le dernier des demeurés. De chaque parcelle goudronnée, de chaque fenêtre, se dégageaient des odeurs de bonheur sucré, comme les petits machins puants que l'on jette dans la sécheuse. Ça vous soulevait le cœur.

Ça sentait l'école privée, les bâtons de golf et l'amour que l'on fait à la sauvette, juste avant de dormir quand on en a plus la force, sauf pour le crétin que je suis, évidemment. L'amour, il m'était d'avis qu'on se le regardait à la télé, avant de s'assoupir chacun de son côté, en pensant aux enfants assurément qui, eux, n'auraient pas à souffrir autant, heureusement ! Et puis quoi encore ?

J'avais besoin de la ville, des papiers qui dansent dans les rues, des chats dans les ruelles, des odeurs qui vous chatouillent jusque dans votre sommeil, et surtout et encore plus maintenant, de me cacher dans la foule pour ruminer. Julie me comprendrait, c'était certain, je ne devais pas m'inquiéter et profiter de ce doux moment avec les filles. J'ai enfoncé l'accélérateur, le moteur a toussoté. Julie et la Clo se pinçaient et se mordillaient à l'arrière, la voix de Jim Morisson roucoulait, je n'avais pas oublié le babouin que j'étais, mais je m'empapatais, et c'était comme un petit bout de vie qui serait demeuré propre, c'était tout bon. Ça me rappelait tout ce qu'il y avait à vivre, à lire, à chanter et, malheureusement aussi, que je chantais faux, tout flou, tout petit, si petit.

Sinon à me camoufler, je ne voyais pas ce que la vie avait réussi à m'apprendre. Avais-je fait le moindre geste charitable pour inciter des gens à sourire ? Est-ce qu'une seule fois dans ma vie je m'étais vraiment fait violence ?

— Avez-vous faim, mes amours ? ai-je à la fin demandé.

Et j'ai trouvé que ça sonnait très bien, que ça valait mieux que de me dévorer tout cru.

— Ouiiii, *Poutine 24 heures !*

Une main m'a serré l'estomac, j'ai entendu des cris de musulmans à la prière sortir de mon ventre, mais je me savais vaincu d'avance et ne me sentais pas en position de marchander.

— D'accord, les filles, on y va ! J'espère au moins que vous comprenez que c'est parce que je vous aime, ai-je rajouté.

La déclaration a créé une commotion à l'arrière. Les filles se sont sautées dans les bras en se bousculant comme des guenons devant une tresse de bananes, tellement que la petite Honda s'est un peu couchée sur le flanc, comme si une vague de travers l'avait frappée. Quel âge elles avaient déjà ? Je les ai rappelées gentiment à l'ordre. Elles ont cessé de se mordre quelques secondes pour recommencer à se pincer presque aussitôt. Je me suis cramponné au volant, j'ai gardé les yeux rivés sur la route.

J'ai stationné la Honda dans le premier trou disponible et tourné la clé au point mort. Le petit moteur fatigué a toussoté deux ou trois fois pendant que nous nous dirigions vers la gueule du restaurant, d'où s'échappait une lumière jaune, dégueulasse et coulante, je vous laisse imaginer... Les filles ont éclaté de rire, pliées en deux.

— Elle grogne comme toi ton auto, Papito !

— Ben voyons, Julie ! Je grogne pas !

— Ben voyons, ti-papa... Je disais ça comme ça.

Je n'ai plus rien dit, mais j'y ai pensé. Un peu bourru, pendant que les filles s'emplissaient les poches de serviettes de papier et de tout ce qui leur tombait sous la main, je me suis planté bon dernier dans la file la moins longue. Je me suis concentré.

On n'entendait qu'elles. Assises maintenant près d'une fenêtre, elles gigotaient en palabrant, ce qui m'a fait plaisir. Quand je me suis retourné vers la caisse, j'ai ressenti un grand vide et j'ai souri gauchement au gars derrière moi. « Monsieur... Monsieur ! » Le sourire de la caissière m'a cueilli à l'atterrissage. L'effort que j'ai dû fournir pour me remémorer ma commande m'a donné des sueurs froides. Puis je me suis dirigé vers la table sous les bravos des filles, je l'avais bien mérité.

J'ai regardé Julie croquer ses frites, son hamburger et ça m'a rassuré, mais si peu à vrai dire. Elle bouffait la vie sans la mâcher, elle en avait les joues qui voulaient éclater. Sa fossette me souriait, j'aurais bien aimé avoir la même. Pourtant, malgré ses sourires et son appétit déjà légendaire, l'inquiétude me torturait encore souvent quand je pensais à ma fille. L'idée qu'elle puisse avoir un jour à débourser ne serait-ce qu'un centime à un plus con qu'elle, afin qu'il feigne d'écouter nos histoires de famille, me rendait fou, me coupait les jambes, la tête, mais à vrai dire pas suffisamment la queue...

Pour le moment en tous les cas, ses mâchoires y allaient rondement, et Claudine ne s'en laissait pas imposer, c'était tout de même encourageant.

— Pouah ! On dirait du sang sur vos frites !

— T'es dégueu !

J'ai regardé les gouines engloutir. Des petites bestioles insatiables dans un jeu vidéo... Attention aux méchants, ne va pas te laisser avaler, tiens bien les manettes, ma Julie, attention, sois prudente, ma douce !

— Une petite crème glacée avec ça ?

— Ouais !

La chaleur de ma tasse de café sur la tempe, ma fille devant moi, le sourire de Claudine, une bouffée de bonheur en plein *Poutine 24 heures*... Une lune d'automne déposait des plaques dorées sur les carrosseries endormies, j'ai trouvé la place bizarre, j'ai trouvé la vie étrange. Encore une fois.

Une vieille dame s'amenait, les yeux rivés sur son plateau. J'ai retiré mes pattes de l'allée en souriant. Elle ressemblait étrangement à grand-maman Rosie. Je l'avais presque oubliée, celle-là, ces derniers temps. Faut dire que les événements avaient déboulé rapidement, un feu de forêt en juillet...

Elle était mes yeux en banlieue. Je n'avais jamais à m'inquiéter. À la moindre alerte, mon téléphone sonnait : « C'est que Julie n'a plus de collant et l'automne arrive à grands pas. » Un véritable tam-tam de brousse, la belle grand-maman. « Et surtout, ne dis pas à Louise que je t'ai appelé, elle m'en voudrait. » Cela durait et durait, quasiment depuis toujours, aurait-on dit.

— Papa, tu es encore dans la lune !

— Je pensais, mon amour... Je pensais...

* * *

L'escalier a tremblé sur sa base, quatres bottines noires ont claqué sur les marches arrondies. Laquelle arriverait la première dans la chambre ?

Laquelle tirerait la langue à l'autre ? C'était le même bal chaque fois, j'avais renoncé depuis longtemps. Je me suis plaqué les mains sur les oreilles pour ne pas trop entendre. La boucane devait sortir du museau du proprio en bas. « Tiens, se disait-il sûrement, le communiste qui arrive avec ses folles de filles. » Couture avait toujours pensé que Claudine était ma fille et je ne l'avais jamais démenti. J'en rajoutais même un peu, me plaignant de la pension alimentaire élevée, le prenant à témoin de mes misères financières, implorant sa compréhension...

Les gouines avaient déjà disparu en me laissant tout sur les bras, rien ne pressait, donc. J'ai respiré un brin en gardant les valises en équilibre sur le rebord d'une marche. Une odeur âcre s'est coincée dans ma gorge, on pouvait deviner l'âge de la bâtisse en comptant les couches de crasse. J'avais toujours résisté à l'envie de passer un coup de torchon dans l'entrée, de peur de recevoir le plafond sur la tête. Je me suis senti un peu sale. Pour la raison que vous savez...

On en avait discuté des jours, des années. Et sans vraiment promettre, sans même prononcer une seule parole, je savais pourtant m'être engagé. « T'es mon homme ou tu l'es pas... Tu peux disparaître des mois, des années, t'arracher l'âme, te torturer, passer toutes tes nuits à angoisser au lieu de m'aimer, mais si tu touches une autre femme, je te tue ! » Je ne répondais jamais. J'arrivais bien à imaginer sur quelle étoile elle était juchée, là n'était pas le problème, mais de là à y grimper... Holà ! J'ai visé le haut des marches en soupirant, je n'avais jamais su si j'aimais Jocelyne parce qu'elle m'aimait ou si je l'aimais tout simplement. C'était toute la différence du monde, je le voyais dans son regard, mais peut-être que j'étais juste un homme après tout, peut-être que ce n'était pas ma faute ? Hi han ! Hi han ! J'ai remis ça, et finalement j'ai tout de même réussi à me rendre la-haut, malgré le poids de la vie, comme on dit. J'ai laissé choir les deux valises à un quart de millimètre de la porte. M'est avis que ça suffisait. Les sacs, je les ai balancés sans regarder. La petite culotte rose avec les lèvres rouges sur le devant qui dépassait de la valise de Julie, je lui ai dit qu'elle ne perdait rien pour attendre... Je me suis passé le revers de la main sur le front et j'ai remarqué qu'il était bosselé. Du pied, j'ai repoussé la valise de Claudine, puis je me suis planté les mains sur les hanches et j'ai bombé le torse devant celle de Julie.

La petite culotte de dentelle qui n'avait cessé de me narguer depuis la porte d'entrée et qui, je le jure, m'avait même tiré la langue, je tenais à lui régler son compte, à lui dire ma façon de penser.

— Tu te prends pour qui ? j'ai demandé, en l'arrachant de la valise. Si Jocelyne te voyait, petite dévergondée ! Compte-toi chanceuse que ce soit moi qui t'aie mis la main au collet !

Puis je l'ai carrément levée à la hauteur de mes yeux et j'ai tiré un peu sur l'élastique pour lui montrer à mieux se conduire. Dieu de Dieu ! Une vrai misère ! De quoi faire damner un père, une mère et toute la Sainte Famille. Je lui ai causé un brin, presque la larme à l'œil, faut-il avouer. J'y allais de bon cœur et avec émotion, en me posant des tas de questions. Je lui parlais, dirais-je, comme un père à sa fille, je n'arrivais plus à m'arrêter. Aussi ridicule que puisse paraître un type qui lutte contre le temps, je n'avais pas l'impression de perdre le mien. Ce n'était pas comme si je me trimballais avec une queue-de-rat de trois poils grisonnant sur le dos, un anneau dans l'oreille et une casquette retournée sur le navet, je voulais simplement que la vie prenne le temps et qu'elle n'aille pas foutre une femme dans ma fille, avant qu'elle n'ait assez de peau pour la contenir. Et puis merde, j'avais bien le droit de respirer un peu, non ?

— À qui tu parles, Papito ?

— À ta petite culotte, Julie...

— *Shit,* papa !

— Je lui parlais de la vie !

— Tu parles à une p'tite culotte ?

— Des fois, pas souvent...

— Est-ce qu'elle t'a répondu... Hi ! hi !

Alertée par le rire de Julie, ça ne pouvait manquer, la Clo est arrivée à son tour, et c'est ma gueule qui a tout attrapé comme de raison. Les filles voulaient à tout prix que je l'enfile, elles me promettaient la lune, mais j'ai trouvé que c'était nettement insuffisant, et je leur ai dit que la lune, elles pouvaient se la mettre où je pense...

— C'est à maman ! C'est pour rire !

J'ai sourcillé un bon coup, j'ai tiré encore quelques cartouches à blanc pour me rassurer, j'ai lancé quelques regards aussi, puis je leur ai tourné le dos en leur demandant de ramasser leurs cochonneries, et je suis allé préparer mon café.

J'avais de drôles d'images dans la tête. Des trucs plutôt désagréables. Et je n'ai pu retenir une envie, une envie irrésistible, dirais-je, d'aller jeter un nouveau coup d'œil sur ma fille :

— T'as l'air drôle, Papito, on dirait que t'as vu le diable !

— Pire... Tu croirais pas !

Planté devant la cafetière, je me suis brassé la tête de chaque côté, question de savoir si on ne s'y serait pas installé sans m'avertir. Tout m'a semblé normal, tout juste un million de questions sans réponse et la foutue planète à me tournailler autour comme une corneille enragée. Je me suis demandé à quel âge le sexe avait commencé à me chatouiller et je me suis jeté sur la porte du réfrigérateur avant que ça ne devienne intolérable. Heureusement que l'on ne pensait pas à ces choses certains soirs d'hiver, parce qu'à mon avis on n'aurait pas été nombreux pour en discuter. Enfin ! Je me suis martyrisé encore un peu en versant le lait, quelques aiguilles sous la peau, puis je me suis demandé combien il pouvait en coûter d'envoyer une fille au pensionnat... et l'instant d'après, je me suis dit jamais !

Je les entendais jacasser, je ne voyais pas ce qu'elles pouvaient encore avoir à se raconter après tant d'années. Je trouvais qu'elles avaient de la chance, je leur ai souhaité des tas de choses en silence et surtout de ne jamais tomber amoureuses. Le frigo débordait, le soir dormait appuyé aux fenêtres, on aurait presque pu avoir confiance, si on avait su en quoi. Quand ma fille était là pour une fin de semaine, il m'arrivait de me sentir en sécurité et de pouvoir mijoter en paix, d'être tout miel d'une certaine façon. Ce n'était pas à dédaigner dans les circonstances et j'ai laissé tomber un peu les épaules. Un bon café !

Avec un bandeau sur les yeux et des bouchons dans les oreilles, j'aurais été foutu de tout voir et de tout entendre, tellement mon vieux logement m'était tatoué dans la citrouille. C'est tout simple, nous formions un grand corps. J'y vivais comme dans la gueule du loup et, jusqu'à maintenant, j'avais réussi à éviter de me laisser avaler. J'aimais mon appartement, c'était mon bout du monde, ma mer calme, mon ciel bleu, ma lune blonde et tout ce qu'on ne saura jamais, mais parfois l'enfer aussi ! Mon grand lit en liberté surveillée respirait calmement, j'essayais d'en faire autant, évidemment, lui n'avait rien à se reprocher. Je me suis calé dans mon fauteuil bleu, j'ai glissé les pieds sur le vieux tapis gris. La chaleur de la tasse me pénétrait langoureusement, je l'ai portée à ma joue un instant. Puis, ne pouvant résister à m'offrir ce petit plaisir, je me suis relevé. Je me suis coulé devant ma bibliothèque. M'arrêter un moment, respirer l'odeur du papier, glisser une main le long d'une reliure, retirer un livre pour rendre les autres jaloux, le cajoler, soupirant... je ne voyais jamais la fin de ces moments-là. La chambre du fond résonnait des cris des deux inséparables, j'ai avalé un peu de café, qui est descendu en slalom jusqu'à mes gros orteils, j'ai soupiré d'aise... Aaaaahhh ! Puis je suis retourné à ma chaise et à mon vieux tapis.

J'ai émergé de ma torpeur un moment plus tard quand Julie m'a demandé si elle pouvait transporter la télé dans sa chambre. Ayant acquiescé du bout du menton, je l'ai regardée s'éloigner. C'était à croire qu'il y avait deux Julie et je ne parvenais pas à distinguer en celle-ci, vêtue d'une loque rapiécée, le monstre que Louise me décrivait. Peut-être avait-elle une double personnalité ? Peut-être allait-elle un soir m'apparaître avec du poil sur les joues, deux longues canines acérées lui limant le menton ? À vrai dire, j'en doutais. Tout de même... Je ne savais trop comment aborder la question de son déménagement à Montréal, la chose me tracassait, je cherchais la bonne façon de procéder. Je voulais à tout prix éviter qu'elle ne se cabre, ne se renferme dans sa coquille. J'ai avalé un peu de café, j'ai soupiré encore... Je l'aime tant, ai-je songé, je trouverai bien les mots, va !

Que cela soit pour le mieux ou le pire, il demeure qu'avec l'âge on a tendance à se méfier du fil de l'eau. On entend qu'il est possible aujourd'hui de gérer ses amours, ses finances, ses sentiments, son stress et ses maladies, que la meilleure manière d'apprendre à aimer serait de suivre un cours aux H.É.C. Reste que les événements, il faut bien se l'avouer, n'acceptent pas très souvent de se plier à nos convenances. Peut-être en est-il mieux ainsi, peut-être la vie est-elle plus drôle de cette façon ? Toujours est-il que, un peu plus tard dans la soirée, j'ai entendu la porte couiner. Tout de suite, j'ai reconnu le pas de Jocelyne dans l'escalier. Elle avait dû déployer tellement d'ingéniosité avant de pouvoir serrer cette clé dans sa main qu'elle ne manquait jamais une occasion de s'en servir. Pouvoir entrer de jour comme de nuit dans l'appartement de son homme avait été pour elle une grande victoire, un genre d'engagement de ma part, la preuve tangible que je n'avais rien à lui cacher. Elle en était très fière, moi, un peu moins...

Si j'avais pu prévoir la suite des événements, sûrement que j'aurais pris la peine de déposer mon livre, que je serais sorti de la chaleur de ma couverture pour accueillir ma douce brute mais, la culpabilité l'emportant sur le romantisme, je suis demeuré bien au chaud, mon livre entre les mains, à essayer de me dessiner en vitesse un visage d'honnête homme.

De toute façon, au premier bruit qu'avait fait la porte d'entrée, j'avais entendu les filles foncer à deux cents à l'heure.

— Salut, Jojo ! T'as fait couper tes cheveux !

Pendant un instant, je n'ai plus entendu que le froufrou des caresses, le bruit des bisous sur les joues. Je m'attendais à voir la belle tête ébouriffée de ma chum s'encadrer dans la porte la seconde d'après. Des remords me tisonnaient les entrailles, me ridaient le visage, les événements de l'après-midi flottaient en surface, me larguaient de l'acide dans l'estomac. Ce serait long avant qu'ils ne coulent à pic au fond de mon âme et sûrement que j'allais devoir passer au confessionnal. Pour l'instant, ce n'était pas une chose que je me voyais déballer, j'espérais encore rêver que rien n'était arrivé.

En fait, disons-le, je n'avais pas cessé d'y penser une seconde, j'avais une peur bleue de ce que serait ma vie après, une trouille comme il ne devrait jamais en exister. Depuis quelques heures, une arme invisible était pointée sur ma tempe. L'envie de mentir me démangeait, de la fermer dur tout au moins, mais c'était rêver en couleurs, c'était me raconter des sornettes...

J'allais finalement me lever, mais ce que j'ai entendu m'a cloué sur place aussi sûrement que si la foudre m'avait frappé.

— Comme ça, ma Julie, tu t'en viens rester avec le vieux bouc, t'as peur de rien, ma vieille !

J'en ai frissonné de la tête aux pieds... Un frisson d'horreur... Trois secondes, ça lui avait pris, pour changer mon salon en salle de consultation. Cinq années d'université pour en arriver là !

— Je viens rester ici ?

Je me suis levé. Me suis approché. J'ai couché des yeux d'épagneul dans ceux de Jocelyne. Elle m'a retourné les siens débordants de remords. Du regard de Julie s'échappaient les flammes de l'enfer et Claudine n'y croyait tout simplement pas. Une réunion de famille s'imposait, rien ne pouvait empêcher ce moment d'exister. J'aurais voulu reculer le film. J'ai repoussé la couverture qui gisait à mes pieds comme un souvenir lointain de paix et de quiétude, j'ai quand même embrassé la Jo, posé une main sur l'épaule de Claudine et enlacé Julie de l'autre...

— T'en fais pas, ma Julie, il n'y a rien de décidé, nous allons discuter. Tu sais bien que je ne ferais rien sans t'en parler.

Discuté, on a... Et comment ! Si le maire avait pu m'entendre discourir à ce moment-là, le livre d'or m'aurait fait signer, la clé de la ville m'aurait donnée... Les écoles de danse, le métro, les spectacles, les boutiques, les cinémas, les restaurants... Des gouttes de sueur perlaient sur ma peau tendue. La lumière sortant de mes yeux irradiait la pièce.

— Je ne veux pas laisser mes amies, je ne pourrais pas vivre sans elles, je les connais depuis toujours.

C'est tout ce qui était sorti de la bouche pincée de Julie qui, maintenant, cherchant du renfort, s'était incrustée dans le flanc de la Jo. Celle-ci, non contente d'avoir foutu un bordel pareil, se permettait sans vergogne des remarques qui sentaient son traître à cent milles à la ronde.

— C'est vrai que l'amitié c'est important. Des amis, on ne remplace pas ça comme des meubles.

Tranquillement mais sûrement l'étau se resserrait. Sentant la soupe vraiment trop chaude, j'ai quitté la pièce sous prétexte d'aller à la salle de bains, question bien sûr de laisser retomber la poussière, mais le contraire s'est produit. Pendant que j'opérais, j'entendais des chuchotements. On s'organisait à côté, on était même en train de mettre ma tête à prix. Je me suis secoué en vitesse avant que la mutinerie ne prenne trop d'ampleur.

— Si on se donnait le temps de réfléchir un peu. On est tous un peu énervés. Il y a peut-être une solution qui ferait l'affaire de tout le monde, ai-je murmuré, de ma voix la plus douce.

— En tous les cas, moi, je ne veux pas perdre Julie. Je l'aime trop ! a soupiré Claudine entre deux sanglots.

Julie s'est jetée dans ses bras, leurs larmes inondaient la pièce. La Jo m'a regardé. Je n'en revenais pas, ces trois folles allaient faire de moi un bourreau, je me voyais déjà la hache à la main. De la façon qu'elles étaient maintenant emmaillotées, on n'arrivait plus à distinguer quel membre appartenait à qui. Mon lit débordait de femmes déterminées, j'étais seul sur ma chaise droite, j'étais assis au milieu d'un désert sans lune, je risquais d'être dévoré, j'avais faim, j'avais froid.

C'est ce moment que choisit la Jo pour entamer son véritable travail de sape. Et c'était tout elle, aussi aimante que salope... Elle a plongé ses yeux dans les miens. J'en ai ressenti les effets jusqu'au fond de mon ventre. C'était comme avoir le choix entre le nœud coulant et la chaise électrique, sans compter, évidemment, certaines privations qui tout naturellement me pendaient au bout du nez. Pour échapper à son regard, j'ai laissé le mien descendre sur ses deux seins dressés. C'était quasi impossible à soutenir, et me rabattre sur ses cuisses n'arrangeait en rien la situation. Je suis retourné dans ses yeux. Je l'aimais trop, quoi qu'elle en dise. La beauté du moment éclaboussait la pièce de gouttelettes d'or. Je me disais résiste, ne te laisse pas enguirlander, trouve quelque chose, dis-lui que tu l'as trompée... Mais là, j'ai trouvé que j'y allais un peu fort et je me suis repris, j'ai simplement regardé ailleurs un instant.

Mais avec la Jo, nul ne s'échappait. Elle vous sortait de l'âme des hardiesses ou des misères que vous n'eussiez jamais pensé posséder. Elle vous accouchait ou vous tuait d'un regard, c'était selon. Vivre près d'elle n'était pas toujours facile, c'était blanc ou noir et, pour une seule petite hésitation, vous risquiez d'avaler tout un gueuleton. Écouter une partie de hockey en paix, il ne fallait même pas y songer. Il m'arrivait de penser qu'elle manquait d'humour, mais je savais depuis déjà longtemps que c'était à prendre ou à laisser, et que sur ce point, malheureusement, nous couchions tout près, quasiment à la même enseigne. Ce qui, dans les circonstances, n'était pas pour me rassurer. Elle me grandissait pourtant, je ne l'aurais jamais nié, c'était comme si, en la rencontrant, j'étais passé d'une simple photo format de poche au poster géant, quoique pour tout dire à ce moment-là précisément, je me sentais plutôt du genre microfilm...

D'un geste lent, sans brusquerie, je me suis dégoté une cigarette. Leurs six yeux braqués sur moi auraient suffi à l'allumer. S'en est suivi un tumulte intérieur à peine imaginable. Les filles m'avaient fichu de l'uranium enrichi dans la cervelle, les réactions en chaîne se multipliaient. Nulle part où me cacher. Pourtant, je ne pouvais nier que l'occasion était bonne, qu'un peu d'amour en réserve dans un bas de laine...

— L'important n'est pas où l'on vit, mais bien plutôt ce petit îlot de tranquillité que l'on transporte où que l'on aille. N'est-ce pas ce que tu dis toujours ? me susurra Jocelyne.

— Si tu continues encore un peu, ma douce, le miel va te sortir de la bouche ! lui ai-je riposté.

Et on n'entendit plus que quatre respirations, quelques déplacements d'air à peine audibles. Le front dans les paumes, je cherchais l'écriteau *exit*, la hache d'incendie, la petite manette rouge pour déclencher l'alarme. Les secondes défilaient une à une, comme dans un film de suspense américain, quand l'homme va devenir un héros, avec arrêt sur l'image, musique de fond, et la voix de l'annonceur qui invite les gens à revenir sans faute la semaine prochaine. Julie m'a sauté dans les bras, la Clo m'en a écrasé deux gros juteux sur les joues. Du soleil dégoulinait des yeux de ma blonde, j'ai senti que je ne l'avais pas déçue, que j'étais son homme. Je me demandais où cela s'arrêterait. Mais je n'ai pas eu à chercher longtemps...

— Je t'aime, Papito !

— Moi aussi, je t'aime, a murmuré la Clo, les paupières closes, le menton sur son cou.

— T'en fais pas, mon beau. Tout va bien aller, tu verras. Je t'aime tellement !

Je n'ai pas répondu, j'en étais incapable... Trop d'amour, vous savez ! Je suis allé fouiller derrière une pile de livres, j'ai ramené ma bouteille de Gragganmore Single Highland Malt 12 ans, l'ai débouchée et l'ai levée vers le ciel. Dieu que ça m'a fait du bien ! J'ai fermé la porte sur le dos des gouines, j'ai relevé la bouteille vers le bon Dieu.

— Et moi ? Je ne suis pas un coton !

Jocelyne gisait dans mon grand lit, la jupe relevée sur les cuisses. C'était tout doré, je lui ai passé la bouteille.

— Merde, j'ai grogné !

— Tu t'en fais pour rien.

— C'est pas toi qui vas déménager à Saint-Ouinouin...

— T'exagères ! Ça va te faire du bien. Je t'envie un peu, tu sais.

En guise de réponse, j'ai glissé ma tête entre ses cuisses et j'ai posé ma joue sur son ventre en rabattant sa jupe sur mon dos.

— Ça, ça fait du bien... C'est ici que je vais m'installer.

Ça me faisait une sacrée cabane, juste assez grande pour un petit garçon avec le cœur aussi gros qu'une montagne. C'était tout chaud, comme dans une serre, on se serait cru dans une toute petite tente, perdu au milieu d'une forêt immense. Tout y était, les champs d'oiseaux, l'odeur de la terre, même qu'un petit ruisseau après un moment s'est mis à gargouiller près de mon oreille. J'ai compris à ce moment que je n'allais rien lui dire, je voulais qu'elle m'aime encore un peu. J'ai posé la pointe de ma langue sur les rives du ruisseau et, après un tout petit moment, j'ai entendu gronder à l'extérieur, j'ai pensé qu'il devait y avoir de l'orage.

***

Il est évident que les quelques minutes où les filles m'avaient tenu les épaules au tapis avaient semé des idées saugrenues dans leurs âmes rêveuses. On se serait cru dans un couvent, tellement les chuchotements comme des souris grises s'étaient faufilés entre mes pattes quasiment de jour comme de nuit. M'éloignais-je un instant, que ça reprenait de plus belle, me rapprochais-je, qu'une couverture de plomb s'étendait sur toute la maison. Quelle fin de semaine, nom de Dieu, quelle fin de semaine ! Mais, heureusement, l'heure de la libération approchait. Quelques minutes, le temps d'un baiser, et je retrouverais ma paix.

Jocelyne avait proposé de les reconduire dans leur banlieue de rêve, et c'est sans me faire prier que j'avais accepté. Chargé comme une mule, j'ai eu toutes les peines du monde à atteindre l'auto pendant que, à dix mètres derrière, les folles sautillaient, gesticulant autant de la bouche que des bras et du cul. Quand enfin, après avoir poussé un bout de jupe à l'intérieur, j'ai pu fermer la portière, il ne me restait plus un seul petit mot dans la bouche et je crois bien que j'aurais appuyé à deux mains sur la portière, si elles avaient manifesté la moindre intention de descendre. Soulagé, j'ai envoyé encore quelques baisers pendant qu'elles disparaissaient au coin de la rue. Puis, aveugle à ce soir d'automne qui descendait doucement, j'ai avalé l'escalier comme un ogre, pressé que j'étais de rejoindre la quiétude de mon appartement, le cuir usé de mon fauteuil, la poussière de mon vieux tapis.

Je me suis frotté les yeux, des plis se sont étendus sur mon front et, comme au sortir d'un cauchemar, j'ai essayé de me rappeler. Une impression de frôlement flottait dans l'air, comme si des êtres venus d'une autre planète m'avaient enlevé puis replacé en sourdine sur la Terre, oubliant d'effacer de ma mémoire les heures écoulées dans l'autre monde. Je me souvenais de tout malheureusement...

Mentir m'avait épuisé, la peau de mes joues s'étirait vers l'arrière, le vent sifflait dans mes oreilles, pas de doute que j'avais posé le cul sur un traîneau dément. On passe des années à se colmater, à surveiller les moindres issues, et voilà qu'apparaît un trou à peine aussi gros que la pointe d'une épingle et que la terre entière semble vouloir s'y engouffrer. Moi qui n'aspirais plus qu'à me faire une âme depuis mes quarante ans, qu'à me bercer, je m'étais laissé coincer. D'un malin coup de faucille, le diable s'était emparé de la fleur juste avant que je ne la cueille.

J'ai déposé ma tête sur le dossier de la chaise bleue, la douceur du vieux tapis m'a caressé la plante des pieds, je me suis lissé les cheveux vers l'arrière à pleines mains et j'ai fermé les yeux. Sur l'intérieur de mes paupières s'est dessiné un jardin, des couleurs tendres, du bleu, du vert tout neuf, du jaune, du mauve, comme autant de caresses. De légers nuages sucrés flottaient dans l'air, laissant sur leur passage des odeurs de jasmin. Je me suis avancé vers ce jardin, mes pieds s'enfonçant dans le sable blond et chaud. Un vieux mandarin, d'un kimono vêtu, m'a fait un signe de la main. J'ai joint les miennes sur ma poitrine et je me suis penché en avant en signe de respect. Et le sage a pris la parole : « Deux meules tournent pour les hommes, l'une au ciel, l'autre sur la terre. Si un homme est un homme, les meules l'usent jusqu'à sa perfection. Sinon, jusqu'à sa destruction. Essaie de te placer de la bonne façon entre les meules afin qu'elles travaillent à la perfection dont tu es capable. Va, si tu le veux, tu reviendras. »

Puis le vieux sage a posé la main sur mon épaule et m'a tendu une longue perche de bambou sec. Quand j'ai rouvert les yeux, ma main serrait un bâton imaginaire. Et je pleurais un peu en me demandant où j'avais bien pu lire une sottise pareille...

4

Je me suis planté les doigts dans les yeux. Je les ai massés par de petits mouvements rotatifs avant de les laisser reposer au fond de leurs orbites. J'ai bâillé à me fendre le coin des lèvres. Des bruits de vieilles locomotives se sont répandus dans la chambre. Ma première impression a été de ne plus me sentir chez moi dans mon appartement. La salle de séjour, qui m'avait toujours collé à la peau comme un habit de plongée, m'a fait l'effet d'un vêtement emprunté. Je n'ai pas osé regarder sous les couvertures de peur d'y retrouver une enveloppe de peau sèche. Rien n'avait changé en apparence, pourtant plus rien ne ressemblait à rien.

J'ai risqué un regard par la fenêtre, les autos avaient disparu, la rue s'ennuyait dans le calme de ce lundi matin. Une grosse journée m'attendait. Je n'y croyais toujours pas mais, si c'était vrai que Julie avait décidé d'exercer son despotisme sur tout ce qui bougeait, il n'y avait pas une seconde à perdre. J'ai regardé mes mains, y cherchant quelque chose qui puisse ressembler à une poigne paternelle, mais je n'y ai vu qu'une longue ligne de cœur tailladée. Rien de vraiment convaincant. J'ai espéré que cela suffirait. J'avais bel et bien été embobiné. Il ne me restait qu'à faire un ou deux petits miracles, au fond n'était-ce pas tout ce qu'on me demandait ?

Je me suis versé une grande tasse de café dans la tuyauterie, et deux vitamines ont rapidement pris le même chemin. Quatre coups de peigne énergiques sont venus à bout de mes quatre poils, j'ai recraché la pâte dentifrice, me suis essuyé les mains sur les cuisses. Je me suis ensuite laissé choir sur le plancher et ai effectué vingt flexions dans la même foulée. J'étais d'attaque, je devais briller, c'est certain.

J'ai roulé en douceur. Quand l'autoroute a disparu dans la glace arrière, une garde d'honneur m'attendait. Le boulevard m'a fait l'effet d'une rigole dans un bol de Jello multicolore, j'en aurais pleuré. Quand j'ai abaissé la fenêtre, aucune odeur ne s'est infiltrée dans la cabine, j'en aurais dégobillé. Au fond, ce devait être cela l'amour. Se sentir heureux de se sentir malade.

Mon plan d'action était simple. Ne pas m'éloigner du paradis, donc de grand-maman Rosie. Une dizaine de rues, pas plus. Ensuite, à nous la bonne vie, une mer de miel, un champ de blé d'or à perte de vue, avec le cœur qui bondit jusqu'au soleil. Je savais que Rosie m'aimait mais, puisque l'occasion se présentait, pourquoi me priver d'en rajouter un soupçon ? Je n'avais encore jamais vu personne mourir d'amour... Le calepin d'une main, un crayon entre les dents, aucun doute que j'allais dénicher l'endroit rêvé. Je n'en doutais aucunement. Comment le Ciel aurait-il pu en effet m'abandonner, dès lors que je venais de répondre à son appel ? Car il ne fallait pas se le cacher, d'une certaine façon, j'entrais ni plus ni moins en religion, du moins ainsi le sentais-je, en mon âme frêle.

J'ai quitté sans regret le centre commercial à ciel ouvert et j'ai roulé tranquillement, m'arrêtant devant chaque chaumière, les scrutant toutes scrupuleusement, pour voir si je n'y découvrirais pas, camouflée derrière une branche, la petite affiche tant désirée. Je me voyais facilement embarquer mes femmes *illico* pour un tour du proprio, l'air aussi fendant qu'un adolescent boutonneux. Me tortillant comme une jeune veuve, une roue sur le bas-côté, je n'en manquais pas une, les yeux plissés, frétillant comme une truite dans un ruisseau glacé, vivant d'espoir, déjà vainqueur. Vraiment, je ne voyais pas qu'il puisse en être autrement, à tout dire, entre moi et le lys des champs de la parabole, je ne voyais plus très bien où se situait la différence.

Au bout de quelques rues de ce manège, ma naïve confiance baissa pourtant d'un cran. Rien de bien grave au demeurant, un léger doute tout simplement. J'avais pour sûr imaginé les choses tout autrement.

Je m'en suis embouté encore quelques-unes sans rouspéter et quelques autres en grimaçant, mais toujours imaginant les baisers qui allaient me mouiller les joues quand j'allais leur brandir le bail sous le nez. Puis je suis revenu sur mes traces, sans rien trouver pour autant, tandis que, à force de m'enfoncer dans mon siège, une certaine lourdeur me gagnait. Mais ce n'était tout de même pas encore la panique, et de loin. Et j'ai remis ça de plus belle.

C'était un si joli appartement ! Qu'on y aurait été bien tout de même ! Enfin, je chassai cette idée en vitesse, les dés avaient été jetés et tout avait été dit. Je n'avais plus qu'à rouler et à chercher, ce que je fis pendant une éternité, encore et encore.

Quand je me suis retrouvé à deux pas de chez grand-maman Rosie, les pages de mon petit livre noir étaient toujours vierges. Sapristi ! c'était vraiment une toute petite ville, une minuscule planète. Je m'étais laissé duper par le nombre de dépanneurs et de petits magasins de tous genres. Je me rendais parfaitement compte de ma méprise maintenant. Dix, vingt, trente rues et rien, les mains vides, et le cœur inquiet. N'y avait-il que des dépanneurs dans cette foutue banlieue, que des chalets rénovés ou des petites maisons déjà occupées ? Je n'avais pas vu une seule affiche, c'était à croire qu'il n'y avait pas la plus petite place pour nous.

Je suis sorti de l'auto, pressé de me dégourdir les jambes, de respirer un brin. Une haie de cèdres cachait la maison devant laquelle je m'étais arrêté. Cigarette au bec, j'ai fait quelques pas en crachant ma boucane vers le ciel, question de rappeler ma présence à qui que ce soit là-haut, qui semblait se la couler douce et qui avait tendance, oserais-je dire, sinon à s'en foutre, du moins à prendre les choses un peu à la légère. Et ainsi me suis-je retrouvé devant l'entrée de ce qui me semblait être à première vue une maison abandonnée. Penchée sur le côté, un tantinet fatiguée. Non pas qu'elle fût si délabrée, mais en quelque sorte on n'y sentait pas la vie, elle laissait une impression de désolation, comme un vieux monsieur que le sort aurait frappé et qui attendrait calmement que sa pipe se brise. Près de l'entrée sur la droite, retenue par de la ficelle et des fils de fer, pendouillait une boîte aux lettres, qui jadis avait dû en voir de belles. Le reste était à l'avenant, la mauvaise herbe envahissait tout, jusqu'au balcon qu'à peine on distinguait parmi tout ce fouillis. Elle s'élevait sur deux étages, il y avait même un garage, dont les fenêtres avaient été brisées.

Au premier coup d'œil, elle n'était pas à vrai dire très jolie, cette maison, mais c'est seulement qu'elle mourait d'ennui, je crois, entourée seulement de cèdres pour lui tenir compagnie. J'ai levé les yeux et j'ai soupiré. Je me suis octroyé une autre cigarette, me la suis piquée entre les lèvres, j'ai joint les mains dans mon dos, question de faire quelques pas et de laisser quelques idées saugrenues s'amuser à m'astiquer la cervelle. Je ne me faisais aucune illusion pourtant.

Ce qu'on me donnait pour m'occuper de mes ténébreux, ce que j'appelais mon travail, ne me laissait que de minces espoirs. À deux, les choses auraient été tout autres, mais tout autre aussi aurait été la vie. J'en connaissais une avec qui de telles pensées auraient pu me mener directement à la catastrophe, aussi me sermonnais-je *illico* sur ce dangereux écart de conduite... Reste que le coin me plaisait, la vieille baraque aussi, et même si rien ne signalait qu'elle pût être à vendre ou à louer, j'ai tout de même entrepris d'aller y jeter un coup d'œil, mine de rien, les mains toujours dans le dos, la tête auréolée d'un petit nuage blanc. Aucune main ne s'étant abattue sur mon épaule, aucun chien n'étant accroché à mon fond de culotte, je me suis finalement agrippé au rebord d'une fenêtre et me suis collé le grand nez dedans.

Au milieu de ce qui semblait être le salon trônait un petit poêle en fonte. La pièce s'ouvrait sur une cuisine immense, une cuisine d'habitant, comme on disait dans le temps. Accroché au mur du fond, un escalier grimpait misérablement vers l'étage supérieur. Des briques rouges figées à intervalles réguliers dans un plâtre jauni en ornaient le montant, c'était très laid, juste assez laid pour ne pas me décourager. Je suis revenu vers le poêle noir dans le salon, j'ai déroulé mentalement mon vieux tapis, j'y ai déposé un livre ouvert et un café. J'ai tout de suite senti la chaleur de la flamme me réchauffer.

Accroché au rebord de la fenêtre, je rêvassais comme un enfant dans une boutique de jouets. Je ne sais trop combien de temps je suis demeuré là, l'esprit trop occupé pour ressentir la douleur qui me sciait les bras. J'ai tenu autant que j'ai pu, avant de retomber comme une masse sur le plancher des vaches. Je ne souriais déjà plus, triste comme jamais, dépouillé, grelottant dans la froidure : un clochard entré par mégarde dans le hall d'un grand hôtel. La rage m'a serré le cœur. Je me suis pris au collet et me suis montré la sortie. Au bout du pavage, je me suis tout de même retourné un instant.

* * *

Quand j'ai poussé la porte, la prêtresse du ragoût et de la soupe aux légumes officiait devant son poêle à bois. J'ai plongé sans protection aucune, à mes risques et périls, au travers des effluves s'échappant en cascade de la marmite, ce que je ne conseillerais jamais à quiconque n'en a pas une certaine habitude.

— Bonjour, Rosie jolie, ai-je chanté.

— En voilà de la belle visite, ça fait longtemps qu'on t'a pas vu !

Mon Dieu, que c'était une belle, belle grand-maman ! Il ne s'en faisait plus des pareilles. Elle avait son âge, elle était vieille tout simplement. J'étais toujours surpris de constater à quel point elle restait elle-même. Tout ses petits bonheurs, tous ses grands malheurs avaient sculpté des chemins sur sa peau, on pouvait s'y promener des heures sans jamais s'ennuyer. Jamais l'idée de camoufler sa beauté sous une tonne de maquillage ne lui avait effleuré l'esprit. Il lui avait toujours suffi d'être, elle n'avait jamais songé à s'inventer.

— Vous êtes tellement belle, Rosie, que le gouvernement devrait vous subventionner !

— Arrête donc, grand fou, tu vas me faire rougir.

— Ce n'est pas grave, avec les joues rouges, vous êtes encore plus belle !

— Pas besoin de faire tant de charme, tu vas l'avoir ton ragoût !

Rosie s'est levée pour tisonner le feu dans le poêle à bois. Sa robe à poches géantes brassait les odeurs, laissant des remous de tendresse sur son passage. Je me suis fermé les yeux et j'ai respiré à fond. De ses grandes poches s'échappaient des bruits de clochettes : c'étaient des clés, des bonbons, sa boîte de métal pleine de rouleuses, des pièces de monnaie pour les enfants. Ma poitrine s'est soulevée, je connaissais une fée... ou était-ce une sorcière ?

— Est-ce que je peux vous voler une cigarette ?

Rosie a fait glisser la boîte le long de la table et je me suis servi. J'ai fermé deux doigts sur le bout d'une des merveilles, sans trop appuyer. J'ai tiré la cigarette d'un geste lent, quasi religieux. Après avoir délicatement tapoté chaque bout de mon trésor sur le rebord de la table vernie, j'ai approché l'allumette en gardant un œil sur la flamme. C'était une sans filtre... C'était devenu rare !

— Avez-vous eu des nouvelles de Louise ? lui ai-je demandé, pendant qu'elle s'enfonçait lourdement au creux de sa berçante.

— Pour elle, ça va. Mais pour la petite, je m'inquiète un peu.

Elle s'est soulevée en s'appuyant sur ses bras pour mieux se creuser un trou dans la berçante. Pendant qu'elle reprenait sa boîte de rouleuses, je n'ai rien dit. J'étais certain qu'elle n'allait pas déblatérer. Qu'elle allait plutôt se contenter d'égrainer son chapelet, les yeux mi-clos, les mains posées sur son gros ventre.

— Vous savez quand même qu'elle m'a demandé de prendre Julie avec moi ?

— Depuis qu'elle a rencontré le nouveau, on dirait qu'elle n'a jamais vu un homme de sa vie !

— Ah oui...

— C'est dommage pour ma petite-fille. Que la grande fasse ses folies, ça ne me dérange pas, mais elle ne devrait pas mêler la petite à ces choses-là.

— Qu'est-ce qui vous tracasse, Rosie ? Vous savez bien que je vais prendre soin de la petite. Vous n'avez pas confiance en moi ?

Je savais exactement ce qui la tracassait. Je devinais... Ce n'était pas très difficile. Elle avait une seule inquiétude, la peur de perdre sa petite, de la voir s'éloigner.

Je voyais bien qu'elle n'avait pas parlé à Julie, qu'elle ne me savait pas encore condamné. Chaque ride de son visage le criait en silence. Des picotements dans la nuque me sommaient d'arrêter son supplice, de lui dire que je déménageais, qu'on allait s'installer tout près, mais où ?

Ses paupières s'étaient abaissées maintenant, la sorcière prononçait ses incantations comme si je n'étais pas là. Vieille hypocrite ! C'est ce qui me pendait au bout de la langue, mais je savais qu'au fond je salivais de tendresse comme un vieux saint-bernard.

— Rosie, vous dormez !

— Je parlais au bon Dieu !

Et bizarrement, j'ai eu l'impression que j'allais être l'instrument de ce Dieu, qu'il opérerait à travers moi, que je le veuille ou non. J'ai abaissé les paupières à mon tour et j'ai imploré que cela ne soit pas trop souffrant. Rosie m'a tendu une joue rose quand je me suis approché, une larme m'a mouillé les lèvres quand je l'ai embrassée. Et j'ai murmuré en retenant mon souffle :

— Vous tracassez pas, Rosie, ça va aller. Vous savez bien que je ne vous l'enlèverai pas, votre petite-fille ! Faites pas l'hypocrite, je sais bien que vous le savez.

Après, la table s'est mise à dégorger de tonnes de nourriture. Je n'avais pas encore terminé de m'essuyer une moustache de soupe aux légumes, qu'une montagne de patates pilées noyée dans un lac de ragoût de boulettes est apparue. La tourtière n'a pas tardé à me chatouiller les narines, et je n'ai plus prononcé une seule parole. Aussitôt que j'ai pu, j'ai transféré la tourtière dans la grande assiette pour qu'elle boive la sauce. Quand j'ai porté le dernier morceau de pain à ma bouche, l'assiette brillait, on aurait pu la ranger sur l'étagère.

— Est-ce que tu veux que je réchauffe la tarte au sucre ?

J'ai desserré ma ceinture d'un cran avant de lui répondre. Je me suis levé pour arpenter la place, ça m'a fait un bien immense.

— La maison d'à côté, Rosie, vous savez à qui elle appartient ?

— Les derniers locataires ont quitté apparemment sans payer, il y a quelques mois.

Grandiose ! Des étincelles jaillissaient de ses yeux et j'ai dû fermer les miens afin de me protéger, ça crépitait tout autour. Juste à ce moment, comme par magie, le soleil s'est joint à la fête, la cuisine a pris feu et des rayons se sont entortillés autour de moi, me recouvrant d'un habit doré.

— Je vais en prendre un morceau, ai-je dit, chaud avec un peu de crème glacée.

Je ne sais pas ce qui m'est arrivé par la suite, peut-être était-ce la lourde présence du ragoût dans mon ventre ou tout simplement le poids de la vie, mais toujours est-il que je tournais en rond comme un hamster dans son manège et que je ne pouvais plus arrêter. J'avais cessé de briller. Rosie me regardait, un sourcil remonté. J'ai touillé la soupe, mis une bûche dans le poêle, je me suis pincé la racine du nez en baissant les yeux. Puis je me suis assis, les coudes sur les genoux, et l'instant d'après je remettais ça. Rosie me regardait toujours, je me suis arrêté, me suis gratté la nuque, et j'allais encore une fois repartir pour un tour quand elle m'a apostrophé :

— Qu'est-ce que t'as fait ?

— Une grosse connerie ! j'ai soupiré. Une énorme !

Rosie s'est arrachée de la berçante et le soleil a disparu quand elle a collé son nez à la fenêtre.

— Je vois que t'as pas changé d'auto, alors ça doit être l'autre chose. Un homme ça reste un homme, elle a maugréé sans se retourner.

— Je sais pas ce qui m'a pris...

— Ça me surprend pas du tout...

— Pourquoi vous dites ça ?

— Comme ça, à cause de tes yeux... de tes yeux quand je te vois regarder une femme.

— J'ai peur, Rosie !

— T'as raison ! elle a grimacé. La seule solution est de dire la vérité, elle a rajouté, en me regardant dans le blanc des yeux.

— Mais elle va me tuer, Rosie !

— C'est sûr.

— Vous avez pas une idée ?

— Oui. Cesse de tourner en rond, assieds-toi et finis ta tarte.

Une douche froide s'est abattue sur mes épaules quand je suis sorti. C'était toujours le problème quand je quittais Rosie, le monde m'apparaissait comme un sinistre lieu. Des rêves et quelques cauchemars flottaient dans l'auto. Le soir tombait. Comme chaque fois, je n'avais pas vu le temps passer. J'ai jeté un dernier regard sur la maison abandonnée, avant de tourner la clé. J'ai ouvert la radio, Renaud chantait *Mistral gagnant*, j'ai compris que je n'allais pas trop souffrir.

5

Au travail, l'automne froid et venteux semait la grisaille dans les têtes et plantait des poignards gelés dans le cœur de mes inquiets. Je m'y suis présenté ce matin-là, comme endeuillé, aussi inquiet que ceux qui m'attendaient. Je bâillais à fendre l'âme en montant l'escalier. Mes nuits, plus souvent qu'autrement, se passaient maintenant à questionner les étoiles, assis à ma table de travail devant la grande fenêtre. Mystiques, mes inquiétudes s'étaient peu à peu transformées en désœuvrement et je me sentais aussi dépourvu qu'un bossu sans sa bosse. Mon île coulait lentement, déjà les vagues me léchaient les pieds et c'est peu dire que j'avais les bras gonflés et que je serrais salement les rames, le regard posé sur l'horizon menaçant. J'ai poussé la porte et je suis entré.

Plusieurs déjà sirotaient leurs cafés, tous tenaient une cigarette entre leurs doigts jaunis et souffraient comme ce n'est pas permis. La grande salle, qu'une poussière laiteuse envahissait, m'a semblé plus triste qu'à l'habitude. Quand j'ai lancé les premiers bonjours, les gars et les filles ont fondu sur moi et, avant même qu'ils n'aient ouvert la bouche, je me suis senti fatigué, submergé, aussi lourd que le métro à l'heure de pointe.

Tous les jours, ils racontaient les même histoires. Je n'avais jamais compris où ils avaient attrapé ce virus, mais je vous jure que, dans leurs yeux, on pouvait lire qu'ils croyaient vraiment que je pourrais y changer quelque chose. J'aurais pu écrire le scénario de ce qu'ils me racontaient des semaines, voire des mois à l'avance, et, d'une certaine façon, cela aurait dû me rassurer, mais c'était tout le contraire.

— Tu prends tout trop au sérieux...

— Je sais, Michelle, je sais !

C'étaient des peines de pauvres, que des mots simples suffisaient à contenir : Tu m'aimes, tu ne m'aimes pas, c'est toi le méchant... Tu m'as trompé... Bang ! bang ! t'es mort, sans ça je ne joue plus ! On se serait cru dans un téléroman.

Le premier qui s'est approché de moi est demeuré figé, la bouche grande ouverte, quand il m'a vu virer sur mes talons. Le feu aux fesses, je suis monté me réfugier chez Michelle, ma patronne. J'avais eu peur qu'un seul petit mot de plus déposé dans mon oreille ne suffise à me faire couler à pic et pour de bon.

J'étais vanné. Épuisé. Au bout du rouleau. C'est ce que je lui ai expliqué, lui tendant encore une fois ma lettre de démission. Je n'étais pas certain que ce soit la meilleure chose à faire dans ma situation, mais autant en finir rapidement, me disais-je, que de m'épuiser à barboter dans une mare qui finirait par m'engloutir.

— Je suis prête à t'écouter, mais tu connais ma condition, me répondit-elle, dans un sourire malicieux.

— D'accord, si tu y tiens, ai-je à mon tour murmuré, m'étirant le bras pour déposer la lettre crasseuse sur le petit meuble placé près de la porte de son bureau.

Cette lettre de démission avait tant voyagé qu'elle n'était plus qu'un bout de papier repoussant. J'en changeais l'enveloppe de temps à autre, mais je ne serais jamais parti au travail sans sentir sa chaleur rassurante sur ma fesse. Ne m'était-il pas arrivé, à maintes reprises, d'avoir à rebrousser chemin malgré le vent, l'orage, le froid, pour récupérer cette maudite lettre que j'avais oubliée chez moi ? Pouvoir la tendre à tout moment m'était aussi essentiel que le petit bonbon sucré d'un diabétique.

Accoudé à son bureau, les yeux dans le vide, je lui ai tout raconté sans rien omettre. Une vraie confession, les coups de fouet sur le dos et tout, de quoi rendre une vache jalouse et sa sœur un peu plus.

— Avec Louise ? La mère de Julie !

— Ouais, avec Louise.

— Ben, mon gars !

Michelle riait, on voyait bien que ce n'était pas elle. Les problèmes des autres, ça me plaisait bien à moi aussi, parfois. Ses cheveux dansaient dans la lumière, sa voix, comme une pâte feuilletée, m'enroulait de la tête aux pieds, ses yeux me réchauffaient, doucement je me sentais remonté. Elle les avait noirs, ses yeux, deux lacs sombres et étranges avec une ribambelle de femmes qui dansaient dedans. Et ses seins, ce n'était pas rien non plus, mais évidemment je n'étais pas là pour ça. Je n'aurais jamais osé, de toute façon, à cause des yeux et de tout l'amour du monde, j'imagine.

— Tu t'en fais trop ! Prends une chose à la fois.

— Je sais, Michelle, tu me l'as déjà dit !

— Peut-être qu'ils sont pas si malheureux que ça, enfin, peut-être pas plus que nous quelquefois, tu ne crois pas ?

— Je sais pas, Michelle, je sais pas.

Étrangement, après un moment, la discussion a bifurqué et on s'est retrouvés à discuter de livres, de musique et même, sur la fin, du temps, mais aussi, bien sûr, de ce travail pour lequel je ne me sentais plus la force. Elle était bien d'accord avec moi, c'était un sale boulot et, de surcroît, mal payé.

— C'est vrai, on a toujours l'impression d'éponger du sang, elle a fait.

La quantité d'énergie que j'engloutissais dans cette galère était pour le moins phénoménale et, maintenant que j'avais mes propres soucis bien réels, bien palpables, je ne voyais pas comment j'allais pouvoir continuer. C'était tous les jours à recommencer, une espèce de cycle infernal, impossible à arrêter. Le flot continu de bonnes paroles que je déversais sur ces cerveaux cramés me renvoyait l'image d'un pompier combattant avec un seau un incendie qui sans cesse gagnait du terrain. On aurait dit que chacun se promenait avec une corde de chanvre autour du cou, les yeux levés vers les poutres du plafond. Un peu comme moi d'ailleurs, maintenant que je savais que la Jo allait m'assassiner.

J'étais intervenant dans un centre de jour pour psychiatrisés, pratiquement un bénévole. Du matin au soir, je tapais des mains, haranguais la troupe, distribuant des cigarettes, du café et des beignes. Je m'éclatais en gerbes d'étincelles, espérant que quelques-unes les atteindraient, mais c'était tout simplement sans espoir, et pourtant, c'était mon travail. J'étais meneur de claque pour l'équipe perdante. Malgré tout, je m'échinais, chantant, sifflotant, ouvrant les rideaux pour laisser pénétrer le soleil. Qu'une seule de ces fleurs se redresse sur sa tige aurait suffi pour que je m'attaque éperdument à la suivante, mais je pouvais toujours rêver ! Des enclumes aux pieds, ils me tournaient régulièrement le dos, mes inquiets, ne laissant derrière eux que le son des bonbons magiques tambourinant sur la paroi des petites bouteilles au fond de leurs poches. Je n'avais que mes deux poings, seul comme David, face à toute l'industrie pharmaceutique, vraiment, je ne faisais pas le poids.

Pourtant, Michelle m'avait encore une fois convaincu de rester et, quand je suis redescendu, ma lettre à la main, je respirais mieux, peut-être même me sentais-je heureux, investi en quelque sorte d'une mission. Comment s'y prenait-elle ? Autant ne pas chercher, autant ne pas trop en savoir, me répétais-je, depuis plusieurs années.

En faisant sauter une poignée de pièces de monnaie dans ma main, je me suis approché de la distributrice à café et j'ai cligné de l'œil à mes raconteurs d'histoires tristes. On avait tendu l'oreille, j'ai donc tendu la mienne, et c'était reparti.

— Attends ton tour, Ouellette, laisse les filles tranquilles, fais pas le fou !

Blotti au fond du divan poussiéreux dans la grande salle, tenant mon café à deux mains, je les ai regardés se serrer tout autour de la machine et, emmitouflé dans leur chaude angoisse, j'ai laissé couler tranquillement leurs peines sur mon dos. Je n'étais là qu'à moitié pourtant, des tonnes de chiffres dansaient devant mes yeux, d'autres se dissimulaient sous mon cuir chevelu, je ne les écoutais que d'une oreille, mais cela semblait leur suffire, faut dire qu'ils étaient habitués à peu, sinon à rien...

— C'est vrai que je suis fou ? m'a demandé le grand Ouellette.

— Ouais ! Tu peux en être sûr, mais t'as un drôle de chemin à faire, mon gars, avant de l'être autant que moi !

Mon rendez-vous avec le propriétaire de la vieille maison ne cessait de m'inquiéter. Les sous, évidemment. J'étais retourné dans les parages, la pédale au plancher pour tenter de découvrir un autre endroit où nous loger. Quelque chose de plus simple que le nid d'amour du vautour, de plus abordable aussi, quatre petites pièces qui n'auraient pas mangé trop de pain. Mais, à chaque voyage, j'étais revenu bredouille et je soupçonnais Rosie de s'en frotter les mains. Elle ne manquait pas une occasion de m'astiquer la calculatrice. Cette histoire de maison lui avait gonflé démesurément la poitrine.

Toute mon énergie était donc centrée sur ce rendez-vous, à tel point que, depuis quelques jours, je n'en dormais plus. À la suite du départ précipité des derniers locataires et de quelques autres avant eux, le moins que l'on puisse dire, c'est que le proprio ne se sentait pas plus pressé qu'il le faut d'apposer sa signature au bas d'un autre papier bleu. Il songeait à tout autre chose, m'avait-il expliqué. Et, s'il acceptait de me rencontrer, il ne m'avait laissé que de bien minces espérances. Rosie ne semblait pas comprendre ce qui me chagrinait. Que je n'eusse pas d'argent ne semblait pas la troubler outre mesure. Apparemment, je n'avais qu'à être gentil pour une fois.

Vers midi, j'ai attelé les deux ou trois inquiets qui ne dormaient pas, et on s'est fait des spaghettis pour changer des macaronis de la veille. En temps normal, le centre fournissait des menus variés mais, depuis qu'un généreux donateur avait laissé tomber une cargaison de pâtes devant la porte, nous avions cessé de réfléchir. Et je ne me souvenais plus depuis quand... Ce qui expliquait probablement que, d'une certaine façon, j'en avais gros sur l'estomac.

Essoufflé, le cœur lourd, je me suis arrêté de mastiquer. J'ai soupiré. Pendant un moment, toutes les mâchoires sont demeurées suspendues, puis une vingtaine de regards ont suivi le mien pour se déposer sur les boîtes qui s'empilaient contre le mur. Combien il y en avait, je n'aurais su le dire, et je préférais ne pas les compter. Ils souriaient tous, comme si la Vierge leur était apparue. Entre deux bouchées, ils y revenaient, caressant les boîtes avec tout l'amour du monde. Inutile de chercher le paradis aux confins de l'univers, il était là juste à côté, à portée de main, et en italien, ça se traduisait : Lancia. Je suis retourné à mes pensées accompagné du bruit des mâchoires, je ne l'ai pas ramené, j'ai plutôt songé à mon rendez-vous avec le vautour.

J'avais deviné assez facilement que, dans les meilleures conditions, cette histoire allait me coûter la peau du cul, et tout ça, doux Jésus, pourquoi ? Pour que la saudite sorcière puisse frotter le sien sur la petite bedaine de Julie. Nom de Dieu ! « Ce type ne veut pas louer la maison, vous voyez pas que si j'insiste, il va en profiter pour me presser comme un citron, vous voyez pas qu'il va m'écrabouiller ? » Rosie n'était pas d'accord, elle marmonnait comme une vieille juive. Elle racontait que, de toute façon, je n'avais rien à perdre. Comme si un pauvre, ça ne pouvait jamais devenir plus pauvre. Comme si c'était une raison suffisante pour se laisser étrangler.

Finalement, je m'étais quand même décidé à rappeler mais, comble de malheur, le proprio étant absent, c'est sur sa tendre épouse que j'étais tombé. Comme on tombe malencontreusement sur un microbe, dirais-je. Nous n'avions discuté que quelques minutes, tout juste le temps de sentir le fil du téléphone s'enrouler autour de ma gorge, avant de raccrocher.

J'ai relevé la tête juste à temps pour apercevoir le dernier inquiet qui fuyait en sourdine. Les gars m'avaient encore fait le coup. J'ai crié que la vaisselle n'allait pas se laver toute seule, mais je pouvais toujours m'égosiller. Les filles étaient mortes de rire. Je ne sais pas pourquoi d'ailleurs. On s'est fait ça tout doux, en gardant le niveau de la conversation en bas de la ceinture. Deux ou trois coups de guenille pour la forme, puis deux heures de rien ou presque. Un peu de tournage en rond. Puis je suis parti en vitesse, le cœur un rien trop serré.

***

J'avais prévu qu'en partant tôt je m'éviterais de moisir au beau milieu du pont mais, comme de raison, j'ai dû suivre la file. Ça m'a donné plein de temps pour repenser encore et encore au château abandonné, et à Rosie à deux pas. Et malgré moi, je me suis pris à espérer. J'étais rendu aussi fou que mon cœur. Mais pas plus riche pour autant. Enfin déhalé, je me suis arrêté pour un petit café. Des meurtres et des incendies imprimés à pleines pages m'ont vite fait renoncer à feuilleter le torchon qui souillait la table. J'ai plutôt déplié ma précieuse lettre de recommandation pour la relire encore une fois. Michelle avait maugréé un peu avant de signer ce tissu de mensonges mais, vu tous les malheurs qui m'affligeaient, elle s'y était finalement résignée. Constatant avec fierté tout le bien qu'on y disait de moi, j'ai replié amoureusement la chose avant de la remettre dans l'enveloppe et de la déposer en sécurité dans la poche de mon jean, bien au chaud sur ma fesse gauche. Puis je suis sorti.

Boulevard Napoléon, rue des Seigneurs, deux fois sur la droite et une sur la gauche, puis j'ai longé le mur de pierres comme elle m'avait expliqué, et je me suis arrêté devant la grille de fer forgé, ouverte heureusement. J'ai serré le volant et aussi les dents, j'ai jeté un coup d'œil sur ma gueule dans le miroir et je me suis épongé les mains sur les cuisses avant de repartir en me racontant que ça n'avait aucune espèce d'importance, qu'ils devaient sûrement chier comme tout le monde et des trucs comme ça, mais en fait, je n'en étais pas absolument convaincu. Après une troisième courbe, au bout de l'allée bordée de peupliers, j'ai senti la petite Honda se cabrer comme si un monstre invisible venait de se jeter sur elle. Doux, doux, j'ai dit, c'est rien, ma belle. Mais c'était plus que ça, tout juste si ça ne crachait pas du feu...

— Merde ! Comment on a fait pour lui payer ça ?

J'avoue avoir eu une seconde d'hésitation, deux peut-être, disons cinq, pour être honnête. En débarquant de l'auto, j'ai écrasé mon mégot dans un des cent bacs à fleurs disposés le long de l'allée de peupliers. D'un coup de pied, j'ai repoussé un bout de tôle tordue qui dépassait de l'aile de la Honda, puis, les mains sur les hanches, la tête renversée, j'ai posé mon regard sur la maison et les jardins qui l'entouraient. Et ça m'a fait très mal, c'était comme des coups que je prenais sur la gueule.

Je rageais en montant l'escalier de marbre entre la cinquième et la sixième colonne blanche ! Des soupirs de convalescent s'échappaient de mon âme attristée. Je ne savais plus vraiment si je pouvais me permettre. Je me racontais une histoire dans laquelle j'étais tout petit, aussi important qu'un pou dans la crinière d'un vieux cheval fou, un vilaine histoire, si vous voulez mon avis. Une crotte dans l'univers, je me suis dit, l'univers, l'univers, je me suis répété... Alléluia ! J'ai respiré un grand coup et j'ai visé le ciel. Quel idiot je faisais ! Comment avais-je pu oublier encore une fois ? J'ai fermé les yeux. Mais, deux secondes plus tard, c'en était fait. L'angoisse à nouveau. Coincé devant le bouton qui clignotait et incapable d'y enfoncer le doigt.

Puis c'est arrivé, au moment où je m'y attendais le moins. Un doigt a enfoncé le bouton puis, imbibé de salive, s'est attardé à frotter une tache sur mon pantalon pendant qu'une main baveuse s'est glissée dans mes cheveux. J'en étais à me masser la vessie qu'une envie soudaine avait gonflée quand la porte s'est ouverte, laissant échapper des sons qui de loin en loin me sont parvenus.

Tout doux après la panique, à chaque fois pareil et comme par magie. En fait, je ne peux raconter que bien peu de ces moments de lèche-derrière puisque, d'une certaine façon, je n'y assiste jamais que de loin. Mais, en général, ça fonctionne, ce qui me fait toujours craindre le pire. Quelques images lointaines seulement demeurent, un léger goût de pourriture, pas de quoi vomir son déjeuner. Une espèce de petit miracle au demeurant, un cadeau du ciel, dirais-je.

Installé confortablement dans ma bulle, j'ai donc suivi les propriétaires et ensuite je me suis assis. Puis j'ai écouté sans rien dire. Juste de sourire, j'en avais plein la gamelle. Je mastiquais lentement, j'avalais ce que je pouvais. J'étais entièrement d'accord sur le fait qu'ils soient partis de rien, mais ce n'était tout de même pas à moi de leur dire qu'ils étaient arrivés nulle part. La force des poignets semblait beaucoup les impressionner, c'est tout juste s'ils ne m'ont pas embrassé quand je leur ai dit ce que j'en pensais. Un café refusé, des sourires idiots, du tripotage de mains et des signatures.

Quarante-cinq minutes plus tard, une éternité si on veut, un prince dévalait les marches, serrant dans sa main le morceau de papier tant convoité. Et malgré que j'eusse sûrement dû multiplier les courbettes, je n'en ressentais aucun effet secondaire, ou si peu. Mes yeux brillaient, je le sentais, je me fendais la gueule. Je me suis arrêté, j'ai regardé le montant inscrit sur le bail, et j'ai songé que j'aurais dû me battre un peu plus, au moins froncer les sourcils. Avec ce que j'allais leur verser chaque mois, pas de doute qu'ils allaient pouvoir se creuser un piscine à l'arrière, si ce n'était déjà fait.

J'ai longé le fleuve un moment, puis je me suis coulé sur une route secondaire. L'air frais s'engouffrait dans l'auto, j'en ramassais autant qu'il le faut et, à la fin, j'ai laissé partir un gros rot. J'ai tournaillé encore un temps sans me poser de questions, regardant les fermes, les arbres, les ruisseaux, les oiseaux, j'étais sur une petite planète, avec une tas de merde fraîche au milieu.

Pour puer longtemps, il n'y a pas pire que les mots, sinon les gueules d'où ils sortent. Ils avaient parlé bateau, je crois, ça demeure vague, sans jeu de mots. Oui, c'est ça, ça me revient. Le lac Champlain, le soleil, ils en mettaient, des mètres et des tempêtes, on aurait dit Moitessier réincarné. Et par association, comme si ça allait de soi en quelque sorte, je leur avais demandé s'ils avaient des enfants, et je le regrette encore. Amèrement.

« La force des poignets », partis de rien et arrivés nulle part, bâtons de golf et montres en or, comptes de dépenses et diplômes accrochés au mur, des gens bien sous tous rapports, et pourquoi pas une médaille avec ça, le prix du Gouverneur général !

— Non, nous avons un chien... C'est pareil, vous savez. Les gens ne se rendent pas compte, vous seriez surpris !

Et si on essayait d'oublier ça !

En embouquant le palier du pont, j'ai eu l'impression que ce n'était qu'un début pourtant et que mon ventre allait devoir drôlement besogner à l'avenir. D'une main affectueuse, dans laquelle j'avais soufflé auparavant, je l'ai caressé sous ma chemise, comme un aveugle la tête de son vieux chien. Quand les lumières se sont allumées au milieu de ma traversée du fleuve, j'ai simplement remercié. J'étais fier de moi en diable. J'avais hâte de leur balancer le bail sous le nez. Ouais, c'était drôlement agréable, finalement. Je me suis mis à fredonner pour oublier les jours difficiles à venir. À nouveau je me suis senti une petite étoile. Minuscule à vrai dire, mais aussi brillante que mille soleils.

6

Avancer à pas de loup, ouvrir une porte, sans personne derrière, longer un mur en pleine nuit sur la pointe des pieds, j'avais beau me dire que c'était ridicule, je ne pouvais plus m'en empêcher, je voyais des fantômes partout : ma fille, Jocelyne, Rosie, mes inquiets, avec en prime le bruit de la tête du suicidé heurtant le plancher au moment où j'avais réussi à forcer la serrure des toilettes. Ses yeux surtout, froids comme un confessionnal, et qui demandaient encore pourquoi il n'avait pas eu sa part de bonheur, pourquoi tout avait été si compliqué...

On y allait tous en rigolant ou en pleurnichant, au bras d'une femme ou de son psychiatre, la bite à la main ou les mains jointes, mais on y allait, ça c'est certain, avec sur l'épaule sa boîte à outils, occuper à se bricoler quatre planches à la mesure de ses moyens. Ce genre d'histoire m'enlevait justement les miens. Il y avait belle lurette que je ne m'étais senti aussi fragile. J'ai gratté une saleté sur la table mais ça n'a rien donné, la miette de pain que j'ai récupérée à mes pieds, je l'ai avalée. Je ne me souvenais pas qu'un brin d'angoisse n'ait jamais tué personne, je ne m'en faisais pas trop, j'étais toujours vivant, que je sache. Des types complètement épargnés par la vie, j'en croisais à la douzaine chaque jour, en trois pièces ou à casquette, à se gonfler le poitrail comme des dindes surgelées, ou à se transformer la bedaine en abri nucléaire, pour moi c'était du pareil au même, canards, pingouins, caniches frisottés ou porcs endimanchés. Et je craquais chaque fois un petit sourire malicieux vers le ciel, pour le remercier. Baveux, et pas juste un peu... Doux Jésus ! Tout doux ! Tout doux ! *Calma, amigo...*

Je me suis revu grimpant l'escalier comme si le paradis m'attendait, puis trifouillant la serrure comme un possédé. Quand Michelle avait crié, j'avais immédiatement su qu'encore une fois, on y passait. J'avais avalé l'escalier, m'étais retrouvé subito avec un tournevis à la main, les deux pieds dans la mélasse écarlate... Michelle, derrière moi, refoulait les curieux. Ça m'effrayait toujours quand j'oubliais d'avoir peur.

— Y a rien à voir ! Allez ! On redescend, criait Michelle !

Ils n'étaient pas si fous, quand même ! Ils étaient comme tout le monde dans ces cas-là ! Ils ne voulaient rien manquer, mes inquiets, ça leur donnait des frissons et c'était gratuit, et pour une fois, ce n'était pas eux. De toute façon, il n'y avait rien à faire, vous les auriez plutôt battus.

Heureusement que ça n'arrivait pas souvent. En six ans, c'était tout de même le deuxième, et je ne pigeais toujours pas comment on pouvait être à ce point décidé et ne pas devenir millionnaire. Partir comme ça, je ne m'y voyais pas. Trop de sang, pas assez de larmes, et même pas un dernier baiser de femme. L'image d'un pauvre diable en train de ramasser mes tripes me glaçait. Ne serait-ce que par politesse, je déboiserai ma route jusqu'au bout. Et, si un jour je me retrouve avec une couche aux fesses et une gentille infirmière en train de me talquer le cul, alors là, je ne sais pas, il sera toujours temps de se raviser.

Ainsi nous y étions passés encore une fois.

— Ça va aller ? m'avait demandé Michelle, en me serrant dans ses bras.

— Ouais, j'avais fait, le dos rond, les bras étirés jusqu'au sol, à lorgner par-dessus son épaule les types qui fourguaient le corps dans le camion gris.

La nouvelle s'était propagée comme une traînée de poudre et, pour trouver un siège quand j'étais remonté dans la grande salle, ça avait été la galère. Des yeux partout me transperçaient comme si je connaissais la combinaison gagnante de la prochaine loterie, des filles et des gars que je n'avais jamais vus, j'aurais pu afficher complet, jouer à guichets fermés.

Des questions, mais pas une seule petite réponse. J'étais demeuré ainsi un long moment, planté au milieu d'une cinquantaine de têtes, à me laisser dévorer. Puis j'avais relevé le front et d'un seul coup, comme un tas de petites fusées téléguidées qui filaient dans ma direction, j'en avais repéré une trentaine pour qui ça ne posait aucun problème, qui auraient facilement pu m'expliquer et qui, d'ailleurs, ne demandaient que ça. J'avais dû en vitesse mettre plein de pièces dans la distributrice à café, descendre au dépanneur pour changer un billet de vingt et encore inventer des tas d'histoires pour leur clore le bec. Ça sentait dangereusement l'écurie à ce qu'il semblait, un parfum de vacances flottait dans l'air, ils avaient tous plus ou moins l'air de se balader avec une valise dans chaque main.

On était resté ouvert très tard ce soir-là et les deux autres soirs d'après aussi, j'en avais ma claque.

On ne connaissait pas le gars, il était venu comme ça. Il était parti aussitôt. Comme un petit moineau. Il me restait une crotte sur le cœur.

***

Je profitais du fait d'être enfin seul chez moi pour m'apitoyer sur mon sort, pour divaguer, pour me raconter qu'il m'arrivait de grands malheurs et me demander pourquoi la planète ne se jetait pas à mes pieds. Je trouvais que je ne ressemblais plus tellement au type que la Jo et Julie avaient canonisé, c'était bien qu'elles ne fussent pas là à me regarder. Ce que je ressentais n'était pas un truc auquel j'aurais pu donner un nom, que j'aurais pu trouver dans un dictionnaire médical, rien de bien grave au demeurant, tout juste l'impression étrange d'avoir été repéré. Aurais-je été plus lâche que certains soirs, j'aurais appelé Jocelyne à la rescousse, mais ce n'aurait été qu'un mur de protection entre le monde et ma gueule, et Dieu sait qu'elle méritait mieux. Les coudes sur les genoux, le regard enfoui au creux de mes mains, je faisais une drôle de tête, comme toujours quand l'idée me prenait d'inspirer de la pitié. Je me suis levé pour aller respirer. La rue était calme, l'air encore doux pour la saison. J'ai visé un type qui s'amenait dans ma direction en me saluant pour attirer mon attention. Tout de gris vêtu, une mallette à la main, il s'est arrêté sous le balcon.

— Savez-vous que la fin du monde est à nos portes ? il a demandé.

— Oui, mon brave, j'ai répondu, on m'en a informé.

— Et vous allez faire quoi ? il a insisté.

— Je déménage ailleurs ! Et vous ?

Puis je suis entré et me suis assis sur la première pile de boîtes que j'ai rencontrée. Dans toutes les pièces et jusque dans la salle de bains, il n'y avait que ça, des piles de boîtes. Des boîtes et encore des boîtes.

Toute la semaine j'avais cavalé comme un jeune coursier, emballant quatre décennies de vie dans des bouts de journaux. Des cadeaux de pauvres. Essayez seulement d'imaginer. La larme à l'œil, je vous dis. Le regard levé vers le ciel, des soupirs, des gémissements, la première dent de Julie dans le creux de la main, mais qu'est-ce que je vous ai fait pour l'amour ? Et encore si c'était tout...

« Vous pensez partir quand ? », me demandaient tous les visiteurs de l'appartement. Je leur tirais une langue de six pieds sitôt les dos tournés. Mais ça ne les empêchait pas de tout chambouler, de se traîner des pieds boueux dans mon sanctuaire, de se couler au fond des armoires, de grimper sur mes boîtes. Aussitôt ressortaient-ils que d'autres arrivaient, des gros, des petits et des pas très jolis, mais avais-je le choix ? Je sélectionnais les plus beaux spécimens et je courais les déposer aux pieds de Couture, le propriétaire. Chaque fois que je l'arrachais de son poste de télé, sa sainteté battait des mains, il devenait aussi rouge que si je l'avais retiré du sein de sa mère. « J'en discute avec ma femme et je vous rappelle », me répétait-il, à chaque visite.

Ça durait depuis des jours et ça commençait à me triturer les méninges. J'avais pourtant pris la peine de bien lui expliquer la situation, je n'avais pas lésiné sur les détails. « Dans mon livre à moi, monsieur, un bail, ça ne se brise pas, grognait l'autre à répétition. Quand on a signé un papier, on le respecte », trompetait-il de sa voix nasillarde. J'en étais à me ronger les ongles, à me bâtir des scénarios rocambolesques. Quand ce n'était pas une banque que je cambriolais, c'était des gros ventrus à cigares que j'égorgeais... Les sous, les sous, et encore les sous...

— Non vraiment, pas question, j'avais presque crié à Jocelyne. Tu sais que je ne pourrais pas.

Elle avait baissé les yeux.

— Tu compliques tout, on dirait que tu m'aimes pas.

— Ne dis jamais ça...

— Dis-le alors que tu m'aimes ! Explique-moi pourquoi nous, c'est différent, pourquoi moi, je dors toute seule quasiment tout le temps, pourquoi nous, on ne partage pas, pourquoi nous, on ne peut pas rester ensemble.

— Tu sais pourquoi, Jocelyne !

— Non, je sais pas, je sais rien du tout !

— J'ai pas la tête qu'il faut, je sais pas vivre avec le monde. J'étouffe !

— Je te parle pas du monde, je te parle de moi !

Les choses en étaient restées là. Mais, à chaque nouvelle discussion, les flammes se rapprochaient un peu plus, son silence se faisait plus brûlant. Snif ! Snif ! Et quels yeux elle m'envoyait, ça claquait comme un fouet, ça déchirait l'air en lamelles cuisantes ! Quand l'escalier crépitait comme une mitraillette, j'étais au moins une heure sans oser respirer.

Ayant réussi à m'arracher de ma pile de boîtes malgré l'immense poids qui m'écrasait, je suis allé, bière pendante, jeter à nouveau un coup d'œil à la fenêtre. Ce n'était pourtant pas si grave. De quoi avais-je si peur ? Est-ce qu'un simple déménagement était une raison pour se mettre dans un état pareil ? Est-ce que pour ma Jo, je n'aurais pas pu ? Une main qui vous tend un chèque le premier du mois, était-ce si difficile à saisir ?

J'aimais salement vivre seul. En fait, je ne connaissais aucune autre façon. J'étais un pou qui perdait son chat, ni plus ni moins. Le monde m'assommait, je n'y comprenais rien, je m'y sentais en danger. J'avais la sensation qu'on m'y jetait de force maintenant. J'étais un petit chien maigre à poils ras qu'une bande de voyous lançaient dans la mare pour le voir se débattre et rigoler.

— Hostie, que t'es sauvage !

— C'est pas parce qu'on reste pas ensemble que tu ne m'as pas tout à toi, je répondais avec le sourire.

— Les gens, c'est pas des choses, on les a pas, on les aime !

— Ouais, si tu veux.

Je résistais. Depuis douze ans, je résistais. Avec ma gueule des mauvais jours, érigée comme un barrage pour l'empêcher de complètement m'inonder. Je travaillais, je lisais, je pensais, je parlais normalement, je souriais énormément, je donnais ce que je pouvais à mes inquiets et aux autres, et puis je courais me cacher. Recoudre des cœurs à tous moments, les tricoter avec du fil invisible, ça expliquait que le soir je ne cherchais pas la lumière, j'essayais plutôt de marcher à l'ombre et d'éviter la mienne. Voilà ! Et j'aurais bien aimé finir en beauté. Avec juste ce qu'il faut d'amour pour ne pas mourir de soif. J'ai avalé le reste de ma bière, je m'en suis attrapé une autre et lui ai souhaité meilleure chance que la première.

L'amour, l'amour, comme un vaste océan, imbuvable et sournois, quelques gouttes de trop et c'en est fait, aussi m'en défendais-je du mieux que je pouvais. Me trémousser comme un ver sur la braise ne me faisait nulle envie. Je trouvais dangereux de se fier à un machin pareil pour respirer, puisqu'on ne savait jamais quand ça pouvait nous lâcher. Ce qui pour sûr ne m'empêchait pas de l'aimer, mais je ne le criais pas sur tous les toits.

Au fond, j'avais hâte qu'elle arrive, je ne pensais qu'à ça, tout juste si je ne comptais pas les secondes. Je détestais quand ça me prenait au corps, mais quand ça venait, je ne pouvais rien y faire. Je tournais en rond avec une seringue vide dans les mains. Je crachais sur l'amour, j'avalais n'importe quoi, je me roulais en boule, mais rien n'y faisait. J'avais honte de la désirer autant, dans l'ensemble et par petits bouts, sa bouche chaude encore plus que tout, mais aussi les petites veines bleues qui frétillaient sur ses seins, le petit mouchoir de peau si douce sur l'intérieur de ses cuisses, et l'impression dramatique qu'elle éveillait en mon âme, que j'allais commettre un sacrilège et être pourtant touché par la grâce. C'était franchement indécent, soudainement. J'ai tiré sur mon pantalon, la foutue vie venait de trouver le moyen de m'arnaquer à nouveau. J'en ai remis un coup en pensant à son ventre et j'ai carrément disjoncté en imaginant ce qu'elle pouvait faire de ses longs doigts.

À ce qu'il paraît, elle avait trouvé la solution à mon problème de logement, et cela me taquinait un peu aussi. « Prends rendez-vous avec le proprio à sept heures. Ne te casse surtout pas la tête, m'avait-elle dit, fais-moi confiance pour une fois. » Je ne savais pas ce qui lui torturait la cervelle, mais je n'en étais plus à discuter sur les moyens, seuls les résultats m'importaient. J'étais prêt à déposer mon sort entre ses mains, à la nommer ministre de la Guerre.

Qu'est-ce qu'elle avait mijoté ? Jocelyne aurait pu tuer pour arriver à ses fins. Je n'en avais jamais douté. En un temps record, elle vous bricolait un petit remords, qui vous gardait les yeux figés au plafond pendant des jours et des nuits, et pour ce qui vous restait de couilles, ce n'était pas la peine de pavaner. Vous dire qu'elle maniait la larme comme une fine lame n'est rien, c'était tout simplement au-delà de l'entendement. Elle se vidait littéralement. « Tiens, ma Jo, bois un peu d'eau, ça va te faire du bien ! » La seconde d'après, ce qui était entré par la bouche ressortait par les yeux, elle pleurait à merveille... Quelle force ! Doux Jésus ! Tout ce que je pouvais faire face à elle, c'était de garder une distance, tout ce qu'elle voulait de son côté, c'était de l'effacer. Personne n'avait gagné ni perdu pour l'instant, ou si c'était le cas, je ne m'en étais pas aperçu. Paraît-il que je n'étais qu'un con, mais ça ne m'arrachait pas de larmes, j'avais l'impression d'être le genre de con qu'elle aimait. Demeurer à l'écart de temps à autre, je n'avais rien trouvé de mieux. C'était sans doute pourquoi j'avais tendance à frissonner depuis qu'une petite fille, d'un bout de doigt, avait ébranlé ma forteresse.

J'ai transporté une boîte de livres pour me changer les idées, je l'ai fermée, collée. Sur l'étiquette, j'ai inscrit : FRAGILE, A-B-C-D... Aymé, Beauchemin, Colette, Céline, Ducharme, Durrell, Dostoievski, Djian, Duras. Je crois bien que, si j'avais pu, j'aurais embarqué ces boîtes dans un camion de la Brinks, que j'aurais suivi à quelques mètres...

Car enfin, faut-il l'avouer, sinon pour les quelques femmes de ma vie, mon ami l'ours et quelques bouteilles, tout le reste de mon univers ne tenait que dans ces milliers de pages que des inconnus avaient, imaginais-je, écrites pour moi, pour qu'au moment ultime je puisse dire, dans un dernier soupir, que je n'étais pas venu pour rien. Je n'aurais jamais voulu rencontrer ces gens, je tenais trop à les aimer. Je comprenais bien qu'en quelques mots ils m'avaient tout donné. J'ai ajouté un grand ruban adhésif et un autre FRAGILE. On n'est jamais trop prudent ! Surtout avec *Le Vieux Chagrin* que j'ai négligé de rendre, que je cache depuis des années et que je ne voudrais pas perdre pour tout l'or du monde ! Jocelyne était certaine de m'avoir prêté ce livre, je niais négligemment chaque fois qu'elle revenait sur le sujet. Quand la porte a couiné, je le tenais justement à la main. J'ai cherché un endroit sûr en vitesse, tout en tendant l'oreille. Aux bruits des pas dans l'escalier, j'ai tout de suite su qu'elle n'était pas seule. J'ai redressé l'échine, me suis glissé les doigts dans les cheveux, puis j'ai caché *Le Vieux Chagrin* sous une pile de draps.

Ma chum sentait bon l'automne, j'ai pris tout mon temps, je ne me suis privé de rien.

Puis je me suis tourné vers la fille qui attendait. Elle se tenait là sans bouger, elle souriait. Ses yeux étaient des noisettes qui répétaient sans arrêt que la vie était jolie. Pendant un instant, je me suis senti intimidé. Mon regard s'est abaissé. Et aussitôt, comme s'ils s'étaient embusqués dans les broussailles, n'attendant que le moment propice, ses seins se sont jetés sur moi. Ils n'étaient ni gros ni petits, et tout de blanc vêtus, ils avaient l'air eux aussi d'aimer passionnément la vie. Son manteau de cuir traînait avec désinvolture sur le plancher, elle le tenait d'un seul doigt enfoncé dans le collet. Mon regard est revenu vers ma Jo qui, pour sûr, n'avait rien manqué de la scène. C'était l'inconvénient quand on s'aimait depuis trop longtemps.

Heureusement, tout ça n'avait duré qu'une seconde ou deux. J'ai reculé pour les laisser entrer. Jocelyne souriait, et d'une drôle de façon. Comme si elle s'était attendue à ça et à rien d'autre.

— C'est, Hélène, elle a dit.

J'ai attrapé le manteau de cuir au passage, puis je les ai regardées s'éloigner. Et je ne sais ni pourquoi ni comment c'est arrivé, mais je me suis senti malheureux. J'aurais voulu me retrouver tout seul dans la seconde, j'avais envie que la vie s'arrête, qu'elle me fiche la paix.

Elles ont fait le tour de l'appartement tranquillement en jasant, mais je ne comprenais pas ce qu'elles disaient. Je m'étais blotti dans mon ventre. Tout ce que je comprenais, au fond, c'est que je n'étais déjà plus chez moi, et que tout ce que j'en garderais après toutes ses années ne se trouvait pas dans les boîtes, mais dans une toute petite boule qui vibrait au creux de mon estomac. Je voyais comme jamais qu'il me manquait quelque chose, un petit rien qui aurait pu faire que je me sente heureux. Pour sûr je pouvais m'arranger avec ça, je l'avais toujours fait, mais là maintenant, comme ça, avec ces deux-là qui allaient et venaient, on aurait dit que ça ne passait pas.

— C'est beau, elle a dit, d'une voix éraillée comme du velours usé, en revenant vers la cuisine.

— C'est le plus bel endroit du monde, j'ai dit.

7

J'avais songé à un truc invraisemblable, échafaudé des scénarios tous aussi cocasses les uns que les autres et, d'une certaine façon, je me sentais déçu en descendant l'escalier derrière Hélène. Elle avait tout simplement besoin d'un appartement et moi, j'en avais un de trop. Aussi banal que ça, sans couleur, fade. La Jo m'avait habitué à tellement plus que je restais sur ma faim. J'aurais préféré un truc grandiose, un machin à mettre le proprio sur les genoux, à lui faire regretter toutes les petites misères qu'il m'avait fait subir. Mais je m'y faisais.

— Tu es très belle, Hélène ! me suis-je entendu dire.

— T'es gentil ! elle a répondu, en tournant ses noisettes dans ma direction.

— ... Excuse-moi, j'ai tout de suite rajouté...

— C'est correct...

Mais, au fin fond de mon cœur, je me doutais bien que ça ne l'était pas. Allez donc savoir pourquoi !

Jocelyne m'imprégnait, déteignait sur mon âme, et, si c'était bien mon propre sang qui cheminait dans mes veines, il n'était pas exclu qu'elle y ait injecté quelques gouttes du sien. J'y songeais parfois quand il m'arrivait, comme en cet instant, d'être à la fois ma vie et son spectateur, le fleuve et celui qui le regarde. De la pure folie, un truc malhonnête, s'il en fut. Des yeux à l'intérieur de la tête et d'autres, des centaines, toute une armée peut-être, accrochés à mes globules comme des microscopes. Mais je n'étais pas elle et je ne pouvais répondre de tout. Mon sang traçait sa route à sa guise, si j'ose dire. Et, si la plupart du temps il ruisselait assez gentiment entre les écueils, léchant les rochers, calme et limpide sur fond de mousse, je savais ne pas pouvoir m'y fier.

Est-ce que l'eau paraît moins glacée quand on y plonge pour la deuxième fois ? Pour sûr, j'aurais aimé tromper ma Jo, et cent fois plutôt qu'une, mais il aurait fallu, je crois, que le mot tromper n'existe plus, que l'amour ne soit plus l'amour, un autre monde pour ainsi dire. Je réalisais bien que c'était beaucoup demander. Il ne me restait plus qu'à déposer mes deux grosses couilles poilues sur la glace un moment. Ainsi soit-il.

L'air était doux, Hélène s'est arrêtée sur le trottoir en levant les yeux sur la façade. J'en ai profité pour respirer, me déposant, comme un petit moineau, sur une des branches de l'arbre dénudé qui m'avait tenu compagnie pendant tant d'années. Dans quelques mois, des milliers de bourgeons éclateraient à nouveau et ce serait la fête encore une fois. Et j'ai déposé une main sur l'épaule d'Hélène :

— Si on y allait, j'ai dit.

Comme je l'avais craint, tout s'est trop bien passé. Hélène est entrée la première et, si les propriétaires ne m'ont pas laissé pourrir sur la carpette à l'extérieur, ce n'est pas faute d'en avoir eu envie, je pouvais l'imaginer. J'ai pris place sur une chaise droite pendant que dame Couture, engoncée dans son fauteuil du dimanche trop étroit pour son gigantesque postérieur, se bavait dessus, et de belle façon... J'aurais aimé que la Jo voie ça !

— Vous verrez, a-t-elle assuré à un certain moment, en papillotant des cils, il n'y a pas beaucoup d'influence sur la rue. Les autos sont rares...

— Affluence, il a corrigé.

— Toi, pis tes grands mots ! Faut toujours qu'il se montre plus intelligent, elle a noté, en lui jetant un regard condescendant. Monsieur lit les journaux, elle a rajouté.

En repassant le portail, j'ai attrapé les yeux de Couture un instant. Je ne suis pas certain d'avoir bien capté l'image qui a traversé ses pupilles à la vitesse de l'éclair, mais ce pouvait être celle d'un sac de poubelle qu'on balance sur le bord du trottoir. Je n'en aurais pas juré cependant, le ramassage ne s'effectuant que le lundi et le jeudi. Enfin, je n'en ai pas pris ombrage, je savais à quel point il lui était difficile de respirer. Je n'avais pas de regret. Qu'est-ce que j'aurais pu y changer ? Il me détestait depuis le premier jour, mais je n'aurais su dire pourquoi.

— Tu pourras revenir quand tu veux, m'a murmuré Hélène, sans se retourner.

— Je ne crois pas que ce soit une bonne idée, j'ai répondu, en lui donnant une légère taloche sur la hanche. Je ne suis pas certain que Jocelyne apprécierait.

Elle souriait quand elle m'a fait face.

— Eh ! Je suis un type normal ! j'ai déclaré, en riant pour de bon cette fois.

Puis nous sommes remontés chez moi en vitesse pour rejoindre la Jo qui devait s'impatienter.

Pendant que je récupérais la bouteille que, pour une raison inconnue, je dissimulais toujours derrière une pile de livres, elles ont encore une fois fait le tour de l'appartement.

— Tu vois, ici, tu pourrais mettre ton banc de quêteux. Et là, ta bibliothèque.

— Ouais, c'est une bonne idée !

— Ben, c'est fait, t'es content, c'est réglé, m'a lancé Jocelyne.

— ... Ben, oui... j'ai répondu.

— T'en fais pas, mon beau !

L'instant d'après, elle me serrait dans ses bras. Et j'ai eu toutes les misères du monde à conserver un certain équilibre. La corde raide sur laquelle j'avançais en posant délicatement un pied devant l'autre s'était mise soudain à valser et je comprenais qu'il aurait suffi d'un rien, d'à peine une légère chiquenaude, pour que je plonge dans le vide, un trou si vaste qu'il aurait pu facilement avaler le restant de ma vie.

— Allez ! j'ai déclaré, en me détachant. Assez pleurniché, c'est que des murs après tout...

On a fait cul sec avec le premier verre et j'ai remis ça par la suite, puis j'ai posé quelques bières sur la table. Pour une gorgée qu'elle s'envoyait, je m'en enfilais deux, coup sur coup, pour me rassurer. Ni triste ni heureux, mais déjà mieux. Presque bien sur la fin, et joliment amoureux, le cœur tranquille, du vice plein la calotte, mais pas plus malin pour autant.

Hélène chaloupait maintenant le long du corridor.

— Vous êtes certain que ça ne vous dit rien de sortir ? elle a redemandé.

Elle n'avait pas envie de rentrer chez elle. Il était évident qu'elle allait bouffer la nuit à belles dents. Ses yeux avaient pris feu maintenant, on aurait pu s'y brûler juste à la regarder de trop près. J'ai attrapé le bras de la Jo, m'y suis accroché *illico*.

— T'es certain que t'aimerais pas mieux... je sais pas, moi, t'as peut-être envie de lire...

— Non, non, ai-je marmonné, tout en laissant descendre ma main le long de son dos, jusqu'à l'endroit où il perd son nom.

— Salaud ! elle a dit, en refermant la porte.

— Eh !

— Elle est belle... tu l'aurais bien baisée ! Je le sais. La vérité ou je m'en vais !

— Seulement si tu m'y avais obligé, j'ai déclaré, tu sais que je ne peux rien te refuser, j'ai rajouté.

— Hypocrite ! Maudit menteur ! Une vraie pute !

On n'a pas fait deux pas, ni même un. Pendant de longues minutes nos yeux se sont caressés, décidés et prêts à tout. Je n'en avais plus que pour ma Jo.

Délicatement, j'ai défait un bouton de sa blouse. Puis un deuxième. Et toujours mes yeux demeuraient plongés dans les siens. L'aurais-je voulu que je n'aurais pu les dégager maintenant, ils naviguaient à l'intérieur de son âme, dans ce qu'il y a de plus beau au monde, peut-être sur une île lointaine ou dans une constellation d'étoiles, je ne saurais dire, il y a des moments où il est essentiel de savoir renoncer.

— J'aime ça quand tu me veux de cette façon... Je pourrais te faire signer n'importe quoi.

— Que tu crois, j'ai dit !

Les mains le long de ses hanches, elle attendait, façon de parler bien sûr, disons qu'elle me taillait en petits morceaux. Son genou bougeait à peine entre mes cuisses. Son ventre m'effleurait. Je l'aurais violée.

— Elle est grosse, ça te fait mal, elle a demandé, en me caressant par-dessus mon jean ?

— Terriblement, j'ai dit !

Je n'ai pas eu tellement de problème pour accepter de la suivre, sauf peut-être mon machin qui s'était placé en travers et qui m'arrachait des larmes à chaque pas, comme dans la vraie vie, quoi ! Chemin faisant, elle a attrapé un coussin et, plus loin, l'a laissé tomber devant la sofa avant de s'y laisser choir.

Son odeur m'enjôlait, je me sentais beau. Sa jupe est lentement remontée le long de ses cuisses. Un sentiment quasi religieux m'a envahi quand je me suis rendu compte qu'elle ne portait rien dessous.

— Regarde bien, je veux que tu me regardes, elle a enchaîné d'une drôle de voix, en m'entourant de ses longs doigts.

— C'est pas juste, ai-je déclaré.

— Il respire dans ma main, j'aime ça quand il parle comme ça... Non ! toi, tu me regardes...

Puis elle a retiré ses mains, en écartant légèrement les cuisses.

— Caresse-toi, elle a dit. Caresse-toi pour moi maintenant, en me regardant ! Lentement. J'aime tellement ça quand t'as ces yeux-là !

— Comme ça !

— Plus lentement, plus lentement. Tout doux... Oui, c'est ça, elle a murmuré, en dégrafant le dernier bouton qui retenait sa blouse.

Après l'orage, nous n'avons plus bougé pendant un long moment, on s'est juste regardés pendant que nos âmes discutaient. Je ne sais pas combien de temps cette discussion a duré, ni ce qui s'y est raconté. J'attendais un signal, un signe du ciel, une raison, un rien qui m'aurait indiqué la voie à suivre, un brin de lumière, une manière de conseil pour éviter d'aller briser cette chose étrange qui se passait, une simple indication m'annonçant que le danger était écarté, et que maintenant je pouvais respirer à nouveau sans risque.

— J'ai faim, elle a finalement annoncé.

— Regarde-moi bien aller, j'ai répondu, soulagé.

Un pompier culinaire, pourrait-on dire, voilà ce que je suis et serai toujours. Vous me donnez un bout de viande, deux ou trois légumes rabougris, un ouvre-boîte et me voilà à l'œuvre. Sans coup férir, je vous bouche un trou de la plus belle façon. Je vous éteins la faim.

À peine la Jo avait-elle eu le temps de défroisser sa jupe, d'avaler une gorgée d'eau, de se lisser un cil ou deux que déjà l'affaire était quasiment conclue.

— Tu m'épates, mon beau. Ma foi du bon Dieu, t'es bon à marier !

— Je crois que tu t'égares, mon amour, lui ai répondu aussitôt, détournant le regard et tout prêt à enfiler mes Nike superlégers.

— Pas si sûr ! elle a fait, en me clignant de l'œil.

— Je crois au contraire que c'est sûr, que c'est même très, très sûr.

— Relaxe, mon beau, relaxe. Je plaisantais.

Les côtelettes remontaient justement se chercher une bouffée d'oxygène entre les bulles de sauce tomate et, lentement, pour ne pas l'alerter, je suis allé ouvrir la porte, question de mettre mon grand nez dehors, et d'en faire autant. Par chance, l'ail commençait à donner. J'en ai rajouté une pincée ou deux pendant qu'elle me tournait le dos. Quand elle abordait ce sujet, je ne savais jamais si elle était sérieuse, si elle se foutait de ma gueule, ou si elle allait soudain se mettre à me rentrer dedans.

Elle s'était installée au bout de la table, les lèvres accrochées à son verre, les yeux aussi brillants que ceux d'un renard planqué dans les hautes herbes par un soir de pleine lune. Je jure que ça n'avait absolument rien de rassurant. On aurait dit qu'elle me dévorait le cœur, je me sentais transpercé. Aussi ai-je replongé ma cuillère de bois dans la sauce sans plus attendre, balayant ma main au-dessus du plat pour que cette odeur d'ail se répande au plus sacrant et qu'on en finisse.

Qu'elle m'aime, j'ai déjà mentionné à quel point j'y tenais, mais allions-nous convoler pour si peu, bout de merde ? Qu'est-ce que c'était que cette histoire de fous ? Déjà que, pour un bout de tissu oublié à la maison, j'en avais des coliques, comment pouvait-elle s'imaginer que j'allais lui ouvrir toutes grandes les portes de ma penderie ? Je voulais bien qu'elle me passe les menottes de temps en temps mais, pour ce qui est de lui remettre la clé, elle pouvait toujours rêvasser. Je n'osais me retourner. Quand je le ferais, je voulais être prêt, avoir un plan, un truc infaillible. J'avais envie d'une soirée tranquille. Me faire passer au tordeur ne faisait pas partie de mes projets. Mais alors là, pas du tout. J'ai pris une grande respiration, mais j'ai dû retarder mon geste, car j'avais plein de buée dans les lunettes. Quand j'ai remis ça, m'apprêtant à lancer une sottise libératrice, je suis resté avec ma grande bouche ouverte, une main suspendue dans les airs. Elle n'était plus là.

J'ai paniqué. Puis des notes de musique ont filé langoureusement dans la pièce. C'était pure magie et nous étions sauvés. Je n'osais y croire. J'ai encore attendu un instant de lâcher complètement la bride à mon cœur. Mais ça m'avait l'air bien réel. Je pouvais déjà sentir une légère brise, une odeur de fleur, un parfum de femme. Elle souriait dans l'encadrement de la porte, un doigt sur les lèvres. Clapton couinait dans son dos. Je me suis approché en me torturant les hanches : *Malted Milk... Malted Milk... come and hug your daddy one more time...*

— Merci mon Dieu ! ai-je lancé vers le ciel.

— Tu dis ?

— Je remerciais le Ciel pour les beaux moments que l'on passe ensemble...

— Profite de l'occasion, si tu l'as au bout du fil, pour le remercier aussi d'avoir donné un si bon caractère à ta blonde...

— Ouais, tout de suite ! ai-je répondu, en fermant les yeux.

Les démons semblaient avoir quitté les lieux pour de bon, nous n'étions plus que nous deux maintenant, tout semblait pousser dans la bonne direction. On avait tiré le fil du téléphone. On pouvait se permettre de se promener nus, j'ai pensé...

— Te rends-tu compte que, d'ici peu, tu seras avec Julie dans la vieille maison. Qui aurait pu imaginer une chose pareille ? J'en reviens pas !

Là, j'ai plissé les yeux.

— Tu vois, ai-je raconté, c'est comme une rigole qui s'est tracé un sillon jusqu'à une rivière calme... Je crois bien que ça va aller.

Évidemment, je mentais. Elle a blotti sa tête au creux de mon épaule.

— Tu sais que je suis là. Tu sais que tu peux compter sur moi.

Pour sûr que je le savais, je ne le savais que trop.

— Julie est bien chanceuse de t'avoir, elle a rajouté, j'espère que tu t'en rends compte !

Je l'ai embrassée sur les lèvres, les joues et le cou, mais j'ai évité ses yeux. Je n'avais pas envie qu'on en parle trop. À quoi cela aurait-il servi d'ailleurs ? Les dés étaient pipés.

J'étais content de moi, c'est certain. Mais c'était ma fille ! Et je ne me sacrifiais pas sur le bûcher, je n'allais pas changer des couches et donner des boires aux trois heures, je n'aurais pas à la mener à la garderie, à m'attraper le bus en sueur, me lissant les cheveux que je n'aurais pas eu le temps de coiffer depuis le matin. Et Julie n'était pas encore membre de la Mafia, que je sache.

— Pour l'argent, tu y as pensé ?

— Je verrai bien. J'ai surtout peur de manquer de silence, j'ai dit.

L'atmosphère s'est à peine alourdie. Un léger frisson s'est faufilé dans la pièce, même pas de quoi vous lever un poil sur le bras. J'ai bifurqué. Je n'allais pas la suivre sur ce sentier, je voulais continuer à me faire chatouiller par les épis de blé doré se balançant au gré du vent doux qui s'était installé. Pour me faire chier avec des détails, je trouvais qu'il serait toujours temps.

— Ça va être bientôt prêt, ai-je dit. Tu ne trouves pas qu'on est bien ce soir ? C'est peut-être la dernière fois...

— Tu veux me quitter ! a-t-elle couiné.

— Non, jamais. Je veux dire ici, dans cet appartement. Tu sais qu'il va me manquer.

— Moi aussi, il va me manquer.

— Tu sais ce que je vais faire dans la grande maison ?

— Cultiver un jardin ?

— C'est presque ça, ai-je dit. Je crois que je vais peut-être essayer d'écrire. J'ai une idée...

— Ah oui ! C'est quoi ?

— Un roman, avec toi dedans... et toute la ville va savoir combien cochonne tu es, ai-je ricané.

— Que je te vois !

— Tu vas voir ! ai-je noté, en allant d'un pas rapide touiller mes côtelettes.

Au septième rinçage, j'ai mis la main au fond de la casserole et l'ai recouverte d'eau, le riz serait juste à point, parfait, tendre sous la dent, comme monsieur Yip me l'avait appris. Il n'y avait pas de quoi pavoiser — ce n'était pas un soufflé à vous empêcher de respirer — mais, pour le riz, j'étais pour ainsi dire passé maître. Quand j'ai retiré le couvercle, les côtelettes m'ont sauté à la figure, j'en ai plié les genoux de plaisir.

— Viens me sentir ça, ma Jo !

— Fantastique ! Hum !

Une minute plus tard, mes pieds s'emmêlaient aux siens sous la table et les plus beaux seins de l'univers me regardaient droit dans les yeux. J'étais un homme choisi parmi cette masse déglinguée, j'avais été élu, je n'en doutais point. Je piquais ma viande de la main gauche, ce n'était pas simple de porter le tout à ma bouche, mais jamais je n'aurais retiré la droite de sa cuisse. Je serpentais lentement, j'effleurais sa peau satinée, appuyais insensiblement, revenais vers l'intérieur et repartais de plus belle, ondulant comme un phoque à la saison des amours. À chaque remontée, je trouvais une rivière de plus en plus accueillante et, si je ne m'étais retenu, c'est sans attendre que j'y aurais piqué une tête.

— Salaud ! me murmurait-elle, de temps à autre, la bouche pleine.

Mon désir était plus grand que nature, mais je ne lui avais jamais dit je t'aime tout court. Je me contentais d'essayer d'être le meilleur homme possible, souhaitant ardemment que cela soit suffisant. Elle ne portait jamais de talons hauts, elle ne roulait pas du cul, elle ne se maquillait que le bout du nez et quelques cils. Mais quelle sacrée putain ! Nom de Dieu ! Quelle femme ! Et je prie le diable que pas un seul crétin sur la planète ne s'en rende jamais compte ! Amen ! Et merci beaucoup !

— Tu me donnes un peu de vin ? ai-je demandé, promenant un doigt sur son ventre qui maintenant ruisselait.

Quand elle a tendu sa main vers la bouteille, j'ai bougé la tête en signe de négation.

— De ta bouche ! j'ai imploré.

Quand le vin a coulé dans la mienne, un ciel doux s'est installé, une lune, des étoiles aussi, de la terre noire comme le purgatoire, avec mon âme qui se languissait dessus à perte de vue, et encore des oiseaux qui venaient la picorer, des arbres fruitiers qui frémissaient sous la brise légère, et pleins de fleurs aussi, je me sentais aussi léger qu'une pluie de juillet.

— À ton tour maintenant ! elle a supplié.

Ainsi était-elle, molle et douce, prête à l'abandon, à la merci de mes moindres caprices, et avec ce regard qui en disait long sur le supplice qui m'attendait. Quand je retirais ma main de sa cuisse, c'était pour porter un doigt à ma bouche et le lécher avec volupté. J'avais réussi à l'attirer vers la mer où il ne nous restait plus qu'à nous glisser, pour sentir la fraîcheur caresser nos corps bouillants. Et pourtant !

La gêne qui m'afflige à raconter ce qui suit n'a d'égale que la hargne que j'ai ressentie à mon propre égard, au moment où les choses se sont déroulées, quand par une perverse malformation, pour laquelle je ne trouve toujours aucune explication, j'ai bousillé sans vergogne un moment rarissime et irremplaçable. Si je cherche une image pouvant évoquer la situation, je ne vois que celle d'un pauvre type qui, au prix de mille douleurs, aurait gravi une montagne sacrée, mais qui, une fois au sommet, se serait contenté de pisser.

Maniaque et pointilleux, je me suis dirigé vers l'évier avec les assiettes et les ustensiles à bout de bras. J'aurais pu les déposer simplement et reprendre ma place, mais allez ! Pourquoi être con à moitié ? Le petit torchon à la main, ce valet incontinent qui vous parle, s'est lancé, sous quel prétexte je ne saurais le dire, dans une véritable course au nettoyage. J'ai rangé soigneusement chaque assiette, j'ai déposé délicatement les couteaux aux endroits prévus à cette fin, en quelques coups de torchon, j'ai fait disparaître les taches sur le poêle et j'y suis même allé d'un petit coup sur le grille-pain et encore et encore... Soulevant les verres de vin pour m'assurer que tout était bien propre et resplendissant. Ramassant du bout de l'ongle une miette égarée, me penchant au-dessus de la rampe du balcon pour secouer les napperons, les pliant impeccablement et les rangeant *subito*. Holà ! Petit trou de cul, crétin, et pas juste un brin...

Maintenant, en boule dans le grand lit, c'est ce qui me restait, des miettes, mais la table était propre et le comptoir aussi, les plats dans le frigo, le pain sur l'étagère et moi, penaud, idiot, et seul, les couilles dans les mains, à tenter de mes les écrabouiller... Mais qu'est-ce que j'étais allé inventer avec mon torchon ! Tant d'amour dans son regard, tant de flammes dans ses yeux, comment n'avais-je pas compris ? Ne méritais-je pas tout simplement la merde qui dégoulinait sur mes joues ?

Quand j'avais enfin repris place devant elle, ses mains s'étaient tendues vers moi. Je lui avais abandonné les miennes et mon cœur rempli d'espoir. Elle était belle. Tout l'amour du monde dans ses yeux, et encore plus...

— Je veux vraiment habiter avec toi et Julie, si tu savais comme je vous aime !

— Tu sais bien que je peux pas, Jocelyne. On en a déjà discuté...

— Tu peux pas ou tu veux pas ?

— C'est pas ça...

— Je vais te le dire, moi, c'est quoi !

— ... Jo !

— T'es pareil à tous les autres ! Deux petites couilles avec des yeux vicieux. Tu veux rester tout seul, juste au cas où une p'tite conne voudrait te montrer son cul ! Salaud !

La porte avait claqué pendant qu'un rocher déboulait l'escalier. Puis plus rien, juste un idiot, la bouche ouverte à gober des mouches. Je venais de passer de vie à trépas, un éclair fulgurant m'avait propulsé seul sur ma banquise. J'aurais voulu avoir un fouet sous la main, une poignée de cailloux, à tout le moins une cravate autour du cou pour m'étrangler... Je n'avais que mon vélo stationnaire, je l'ai enfourché, appuyant de toute ma hargne sur les pédales. « Mon crétin, tu vas payer », me suis-je grogné, pendant qu'à la télé, un grande brune, décorée comme un sapin de Noël, me racontait comment rien de tout cela ne serait arrivé si j'avais pensé à acheter le parfum qu'elle tenait à la main.

8

Je me suis creusé les reins, j'ai levé des yeux implorants vers le ciel, avec lequel je tentais depuis quelques jours de rétablir la communication. Qu'il soit salutaire à l'homme orgueilleux de recevoir à l'occasion une leçon d'humilité, je n'allais pas le nier, j'étais le premier à l'admettre, mais que l'on s'acharne sur ma personne me portait à croire qu'on m'avait peut-être abandonné à mon sort. Je voyais bien qu'il ne m'aurait rien rapporté de jouer au plus fin, qu'il valait mieux me faire menu, ainsi je me déguisais en courant d'air, quand je ne m'aplatissais pas comme une crêpe.

Je respirais mal évidemment, comme chaque fois que Jocelyne claquait une porte sur mon nez. Son absence me brisait les os. Ce n'était pas une chose que j'acceptais facilement. J'aurais voulu me l'arracher des veines, me guérir de cette terrible maladie. Et dire qu'un simple « je t'aime » aurait pu tout arranger !

À plusieurs reprises, j'avais composé son numéro, juste pour entendre le son de sa voix, puis j'avais raccroché. Elle savait bien qui appelait, mon petit jeu ne datait pas d'hier. La dernière fois, je lui avais glissé un message, lui demandant si elle serait là quand j'arriverais dans le village aux mille dépanneurs. C'est tout. Je n'avais rien promis. J'avais pourtant l'impression d'avoir fait le maximum. Il me semblait que ça suffisait. Que ça voulait dire je t'aime.

Pour le moment et heureusement, j'avais d'autres chats à fouetter, j'attendais Jean-Guy et ses gros bras gentils. La main en visière, j'espérais le camion jaune, d'une certaine façon j'avais l'impression de rêver.

Il faisait bon, mon bric-à-brac patientait. Bizarrement étalé le long de la rue, comme celui d'un gitan qui aurait eu tout son temps. Les balcons fourmillaient et aurais-je écarté l'œil un instant de mon bazar, que peut-être, me disais-je, certains auraient pu se laisser tenter. Quelques gueules qui s'ingéniaient à me lorgner ne me disaient rien qui vaille. Aussi je veillais au grain, toujours scrutant le bout de la rue, dans l'espoir de voir apparaître du renfort. Jean-Guy était mon seul copain, le seul poilu musclé que j'étreignais avec un plaisir non dissimulé.

Plus tôt, j'avais dû attraper un jeune à crête de poule par la peau du cou, pendant qu'il se lançait sur mes boîtes, debout sur les pédales de son vélo de montagne. Depuis, je montais la garde, des canons dans les yeux. Je m'étais coltiné tout ce que j'avais pu depuis l'aube, c'est que nous n'étions que deux... Ce qui m'amenait à jeter un œil critique sur le désert de mes relations. Sur le balcon, la berceuse de Couture couinait déjà depuis une heure, il n'aurait pas levé le petit doigt, il vérifiait, il s'assurait que je n'aille surtout pas m'envoler avec le bol des toilettes, les planchers et les murs.

Quand le gigantesque serin jaune est apparu au coin de la rue, le soleil donnait au maximum. Des rayons s'échappaient du monstre comme des fusées argentées allant se perdre dans le vide planétaire, là où peut-être on s'apprêtait à me débrancher. Au troisième essai, le camion a enfin réussi à grimper sur le trottoir, crachant un jet d'encre qui s'en est allé habiller de noir la face d'enterrement d'un Couture toussotant. Jean-Guy s'est retrouvé dans mes bras, qui lui frottaient le dos, qui lui massaient la nuque, qui lui disaient ce qu'entre hommes on ne peut dire autrement.

— Ce machin-là ne fera pas la journée, a-t-il lancé, fusillant le camion.

— Il faudra bien, ai-je répondu. C'est aujourd'hui la fin du monde !

— Il y a pas foule, a-t-il poursuivi, l'œil inquiet.

— Ouais, mais il ne reste que les gros morceaux. J'ai presque tout descendu, lui ai-je souri, implorant.

Que je sois damné si je mens, trente-quarante minutes plus tard les portes jaunes se refermaient sur ma vie, pendant qu'on s'épongeait le front, que l'on s'asseyait sur un coin de ciment, qu'on regardait avec admiration les petites bulles rousses de nos bières tièdes. Nos quatre-vingt-dix ans à deux, on ne les faisait pas, on était des jeunes hommes, il n'y avait rien à ajouter. C'était l'évidence même, c'était le nez au milieu du visage, et c'est ce qu'on était en train de se dire, en s'agitant l'un l'autre comme des peupliers au vent, pendant que Couture sur sa chaise plongeait un regard vitreux dans ses chaussettes en Phentex...

— Sans rancune, ai-je murmuré en déposant les clés dans la main du proprio, qui s'était levé pour l'occasion.

— Bonne chance avec vos filles, m'a-t-il répondu, d'une voix qui m'a semblé étranglée par l'émotion.

C'était à n'y rien comprendre. J'aurais juré que ce gars-là m'aurait expédié en enfer d'un coup de fourche indifférent et voilà qu'il déposait des yeux de chien battu dans les miens, me serrant la main comme si je le retenais d'aller se briser les reins au fond d'une crevasse. Quand sa geôlière s'est plantée derrière lui, j'ai bien compris qu'on venait de lui bourrer la gueule de coton hydrophile et qu'on tirait fort sur le bâillon derrière sa tête. Il se ravalait littéralement, cependant que ses yeux demeuraient presque fermés. Quand je lui ai déposé cinq doigts sur l'épaule, pressant sa main toujours dans la mienne, sa lèvre s'est soulevée avec peine, il m'a semblé qu'il m'a souri, mais je ne pourrais pas l'assurer. « Bonne chance, monsieur Couture », ai-je tout de même soupiré. Elle, je ne l'ai même pas regardée.

***

Claudine, au premier rang, dirigeait le concert des sourires qui nous a déboulé dessus quand pied à terre nous mîmes. Le héros s'en est presque agenouillé sous l'avalanche de baisers. J'étais pressé par-dessus tout de vérifier que je ne rêvais pas que ce n'était pas un fantôme qu'une force invisible agitait devant mes yeux incrédules.

— Tu es là !

Je n'y croyais pas encore, malgré mes mains qui s'agrippaient à son coupe-vent, ses cheveux qui me chatouillaient les joues, sa bouche qui touchait la mienne.

— T'es chanceux que je t'aime autant, a-t-elle murmuré sur mes lèvres. Mais je ne sais vraiment pas pourquoi, a-t-elle ajouté, sans sourire cette fois.

Je serais bien demeuré là, blotti dans ses bras une éternité et plus, mais c'était sans compter sur Rosie qui menait un raffut de tous les diables, enrôlant chacun de force dans son armée.

— C'est que le travail ne se fera pas en soulevant le cotillon !

Une hiérarchie naturelle s'est vite installée dans les rangs des porteurs. Les filles, avec des boîtes plus grosses qu'elles, soufflaient comme des taureaux. Ça allait et venait comme dans un film sur la construction des pyramides, sans prendre une seconde de repos, suant à plein goulot, et fallait voir Rosie. Une merveille, un bonheur, et quel sourire ! Elle se tenait près du camion, nous mitraillait de tendresses, à nous donner un tel courage qu'on se serait fouettés les uns les autres à la moindre défaillance. Quand le camion nous a montré son ventre vide, on s'est tous taillé une route vers la maison de Rosie où, en vrac, Louise avait empilé les affaires de Julie.

Ça m'a tout l'air que des boîtes, Louise n'en avait pas trouvé, et c'est à la queue leu leu qu'on a lancé la procession, qui avec une montagne de guenilles, qui avec une lampe, qui avec une pile de couvertures à l'allure douteuse. Pour finir, c'est un matelas blessé que sur le dos on a transporté. Quelle que soit la façon dont on s'y prenait, d'un côté comme de l'autre, des taches écarlates au beau mitan brillaient dans le soleil, ne laissant aucun doute quant à la féminité de ma fille. On se serait cru au lendemain de la noce, quand les parents promènent avec fierté le drap taché par la mariée.

Julie au deuxième, moi au rez-de-chaussée, c'est ce qui a été décidé d'emblée, tout le monde était d'avis que cela s'imposait, que c'était parfait. Des cris dégringolaient en cascades, elles étaient déjà six là-haut, et on m'avait annoncé que d'autres allaient venir, que je n'avais qu'à leur dire de monter. La ruche bourdonnait. Sans arrêt on se croisait, certains grimpaient aux fenêtres, d'autres filaient au sous-sol, je m'arrêtais de temps à autre, me plantais une petite cheminée au coin des lèvres, le temps d'un frisson, d'une légère inquiétude. Puis ça repartait de plus belle, le torchon sur une fesse, une boîte sur l'épaule.

— Ça va, Julie ? ai-je questionné en la croisant.

D'une étrange façon, sans que j'en comprenne la raison, il m'a semblé que, depuis le midi, c'était à peine si nos regards s'étaient croisés. Je me suis demandé si quelqu'un ne l'avait pas contrariée.

— Ça va ? ai-je redemandé, voyant qu'elle ne répondait pas. T'as eu des nouvelles de maman ? Il y a quelque chose qui va pas ?

Elle me fixait maintenant, un filet de noir, ou je ne sais quoi, habillait son regard, et il m'a semblé un moment que je ne reconnaissais plus ma fille, quelque chose avait changé, je n'aurais su dire quoi exactement.

— Ça va, papa ! a-t-elle lancé d'une voix impatiente, et en tournant les talons.

Peut-être était-ce seulement la fatigue, ou tout simplement l'inquiétude de changer d'endroit ? Toujours est-il que je me suis frotté les yeux en la regardant grimper l'escalier. Puis je suis entré dans la petite chambre où j'avais choisi de me cacher, et me suis arrêté devant la fenêtre en me demandant ce qui venait de se passer. J'ai cherché... j'ai songé... puis j'ai décidé de ne plus y penser.

Les dimensions de la pièce me convenaient, tout juste assez d'espace pour un lit, ma table de travail et mes livres. C'est peu dire que je n'avais pas fait l'unanimité quand j'avais indiqué que c'était là que je désirais m'installer. « Le balai, les brosses et la chaudière, on les mettra où ? », avait demandé Rosie, pendant que les autres ricanaient ! J'avais pourtant tenu bon. Leurs remarques avaient coulé sur mon dos comme sur celui d'un canard, tandis que je déposais mon grabat d'une place et quart sur sa base d'érable blond. Me coinçant dans l'embrasure d'une porte, Jocelyne m'avait demandé à son tour si j'étais vraiment sérieux, si je comptais vraiment m'installer dans ce réduit. Sur le coup, je n'avais su que répondre, j'étais demeuré sans voix un long moment avant qu'une lumière daigne clignoter.

— Je me sens tout p'tit, lui avais-je répondu.

— Tu vas étouffer là-dedans ! On va te retrouver mort un bon matin !

— Ben non, j'ai dit. Je vais mettre mes livres tout autour, et j'aurai l'impression d'en être un moi-même.

Elle avait souri, d'une jolie façon, comme si elle me trouvait un peu fou, mais que ça lui plaisait quand même.

— On en reparlera plus tard, lui avais-je glissé à l'oreille, au dernier instant.

Mon ancien grand lit et tout ce qui pouvait attendre avaient été empilés dans la grande chambre, et j'avais tiré la porte sans regret sur ce lot de sueurs à venir. Pour le reste, on avait paré au plus pressé, quitte, me disais-je, à tout chambarder quand le cœur m'en dirait.

Puis, sans qu'on s'y attende, comme un invité surprise, la noirceur nous est tombée dessus, nous jetant sur les épaules une couverture de plomb. Les jambes ont plié, le temps s'est arrêté et on n'a plus vu soudain que des derrières balayant le salon à l'affût d'un bout de mousse où se déposer. Jean-Guy m'a passé des boulettes de papier journal bien compacté que j'ai glissées sous la colline de bois sec, pressés que nous étions tous de voir rougeoyer ce petit poêle noir, promesse de tant de soirées douces. Comme chez les riches, quoi !

— Viens voir, Julie, ai-je laissé filé du bas de l'escalier.

— Voir quoi ?

— Je vais allumer notre premier feu, ai-je répondu, du miel dans la gorge.

Quand j'ai approché l'allumette du papier journal, mon âme s'est enflammée comme une torche. En même temps, une clameur s'est élevée dans la pièce et ce n'était plus que des oooohhh ! que des huuuummm ! On aurait dit qu'on venait tous ensemble de découvrir le feu, encore un peu et on allait, les fesses bombées et les jambes arquées, sautiller devant en s'appliquant amoureusement des coups de gourdin sur la tête. Vraiment, on faisait une belle troupe d'imbéciles heureux et cela m'a donné l'envie de tous les embrasser, et je ne m'en suis pas privé.

Plus tard, pendant que les filles s'affairaient à la vaisselle, que ça discutait ferme sur le meilleur emplacement d'un saladier, qu'elles se demandaient, les mains sur les hanches, si les ustensiles seraient plus accessibles dans le tiroir de droite que celui de gauche, j'ai trouvé que, malgré tout le mal qu'on en disait, la vie pouvait parfois nous réserver de bien jolies surprises. D'ordinaire, je détestais qu'elles foutent leurs grands ongles dans mes affaires, mais là, coulé dans les coussins devant mon feu de bois, elles pouvaient bien me la retourner à l'envers, la cuisine, je n'aurais pas bougé le petit doigt.

— Je crois bien que je vais déménager ici, moi aussi, me murmura Jean-Guy, entre deux gorgées de tequila.

— T'as bien beau ! lui ai-je répondu, c'est pas la place qui manque.

Juste à ce moment, j'ai croisé le regard de la Jo. Je me suis mordu les lèvres, je ne savais plus quoi dire. J'ai senti mon cœur se nouer.

C'était une belle soirée. Comme un voyageur harassé, j'aurais voulu tout simplement déposer ma valise un instant, et que les autres en fassent autant.

— C'est beau, un feu...

— Tant qu'on l'a pas au derrière ! a t-elle répondu.

Je n'ai pas insisté. Il m'arrivait de la haïr. De détester ses moindres gestes, la moindre syllabe qui franchissait la barrière de ses lèvres pincées. Quand ça se produisait, on pouvait être des jours sans se parler, à ruminer chacun de son côté. Le trou dans son menton, ses gros orteils retroussés, le rictus au coin de ses lèvres, tout cela prenait alors une telle dimension que, de ces longues mains caressantes, je ne voyais plus que dix doigts crochus prêts à m'égorger. C'était comme on dit l'envers de la médaille puisqu'il en faut un, misérablement. Des jours je vous dis. À ne plus rien comprendre, à ne même plus savoir le pourquoi du qui, ni à quel moment toute l'histoire avait bien pu commencer. Une misère toute noire.

S'il lui arrivait quelquefois de partir en claquant la porte, nous préférions le plus souvent souffrir ensemble et en silence. Nous quitter quand nous avions envie de nous entretuer était une chose que nous avions toujours essayé d'éviter. Jamais nous n'en avions parlé, c'était comme ça voilà tout. D'une certaine façon, souffrir ensemble devait nous paraître plus facile.

Invariablement le tout se terminait de la même manière. N'y tenant plus, je lui glissais une main sous la jupe. Des minutes d'une infinie tristesse. Je pesais trop fort sur son ventre, elle plantait ses ongles dans ma peau. Une généreuse souffrance, comme des coups de fouet, s'abattait sur nos âmes. Ensuite, elle pouvait partir.

Et le soir suivant, nous nous téléphonions, ça va, toi ? et toi, ça va ? Où serait-elle allée si nous n'avions eu qu'un appartement ? Des petites grenades éclataient dans ma tête quand j'y songeais.

Quand j'ai senti monter en moi l'horreur, je me suis levé.

— Qui m'aime me suive, j'ai suggéré.

— Moi, je vais regarder le beau feu, elle a sifflé, pendant que Jean-Guy s'enfilait sur mes traces !

Rosie avait bourré le garage d'outils dont je n'allais pas pouvoir me passer. À mon arrivée, un seul coup d'œil m'avait permis de recenser parmi le bric-à-brac : une vieille tondeuse, une brouette qui avait dû servir au début du siècle, deux pelles, un grattoir à neige qui devait bien peser sa tonne, un rouleau de fil de fer, une hache, quelques autres bricoles et un sécateur qui m'avait tout l'air d'un instrument de torture. Un tas de cochonneries, si vous voulez mon avis. Mais, pourtant, tous ces objets m'avaient paru débordants d'une tendresse sans nom.

— T'as vu, Jean-Guy ?

L'Ours m'a souri. En regardant, tout comme moi, les centaines de bûches empilées comme des frites géantes le long du mur.

— Regarde, Rosie a même préparé deux boîtes de bois sec !

— Je m'excuse pour tout ce que j'ai dit tout à l'heure.

— Qu'est-ce que tu racontes, Jean-Guy ?

— Jocelyne... il a murmuré.

— C'est pas ta faute, c'est la mienne. Ça fait douze ans que ça dure, j'arrive pas à me brancher, je la déteste autant que je l'aime, je crois.

— Je comprends pas.

— T'en fais pas... T'as rien à y voir, je te dis. Elle voulait venir vivre ici, j'ai refusé, et je t'offre d'emménager. Quand on va rentrer, elle aura tout oublié.

— Tu vas faire quoi ?

— Rien ! Je peux rien faire...

Le verre qu'on s'était chacun glissé dans la main avant de sortir nous gelait les doigts et on s'envoyait des petites rasades pour se réchauffer.

— Drôle d'endroit, c'est tranquille, tu ne trouves pas ? On entend rien, a-t-il murmuré dans le noir.

— Ouais, ai-je répondu, j'ai toujours l'impression qu'un maniaque va sortir de l'ombre pour m'empoigner la gorge.

On a fait le tour de la maison en déblatérant sur tout et sur les femmes en particulier, et encore plus particulièrement sur les nôtres.

— Elle me lance carrément des objets à la tête maintenant, et pas des petits trucs de rien du tout... Un poêlon en fonte, l'autre jour, à un pouce du crâne, un trou grand comme ça dans le mur, t'imagines, qu'il a fait, en dessinant la circonférence de la main, afin que j'en voie bien la dimension.

— Cibole, Jean-Guy !

— Ouais, j'te jure !

— Je savais pas que c'était à ce point-là !

— Ouais ! et encore je te dis pas tout...

— Est-ce que tu l'as trompée ?

— Jamais !

— Alors, c'est pourquoi ?

— Parce que je suis pas un autre, je pense...

On se traînait maintenant les pieds dans une herbe rendue quasiment blanche par le froid qui tombait. On s'est adossés à l'affreuse cabane au milieu du terrain, sifflant doucement le fond de nos verres, un œil sur la lune, l'autre fouillant la nuit tout autour. Pour l'instant, on s'était tout dit. En fait, on avait toujours très peu à se raconter. Je crois qu'il aimait mieux discuter avec la Jo. La matière, les étoiles, la grande liberté et surtout les mots, ce n'étaient pas des choses qui le faisaient bander. Une femme, un bon repas, un bout de télé, ça oui, et comment qu'il me racontait, et comment !

— Et Carole ? ai-je questionné, le prenant par ses vastes épaules pendant que nous revenions vers la maison.

— Je ne sais pas. Non, vraiment je n'en sais rien, il a grimacé.

— Tu sais, j'étais sérieux, elle est vraiment immense, la baraque. Tu y déposes ton baluchon quand tu veux !

— Ouais, peut-être. Mais je ne crois pas qu'on en soit encore là. J'espère toujours...

Pendant que Jean-Guy remplissait les verres, j'ai rejoint la Jo qui s'amusait à faire gicler des étincelles à l'aide d'un tisonnier. M'étant glissé le long de son dos, j'ai déposé doucement la tête sur son épaule pendant que, d'une main, je lui enserrais la hanche et que mon nez, dans ses cheveux, se trémoussait. J'ai espéré très fort qu'elle connaisse le morse et parvienne à décoder ce que mes doigts et mon nez lui transmettaient. Quand Jean-Guy s'est pointé, on a cogné les verres, même Rosie s'est laissé convaincre, une larme seulement...

De temps à autre des bruits de pas résonnaient là-haut et tous les yeux se tournaient paresseusement vers l'escalier. C'étaient d'abord des jambes fines et noires qu'on voyait puis, quand le reste s'encadrait dans la lumière, on n'arrivait pas toujours à mettre un nom sur le visage blanc qui nous apparaissait. L'eau roucoulait, la porte du réfrigérateur claquait et ça piétinait à nouveau dans l'escalier, la poudre aux fesses. Alors, nos yeux retournaient se déposer en douceur sur les flammes, et tout recommençait, et on ne demandait pas mieux que cela dure l'éternité.

— La messe demain... Je ne veux pas passer tout droit, a-t-elle bâillé en s'arrachant au fauteuil qui depuis des heures la retenait prisonnière.

Ce fut comme un signal. Et c'est à douze dans le cadre de la porte qu'on l'a regardée s'éloigner, cependant qu'une chaleur lourde s'échappait au-dessus de nos têtes. Le dos à peine voûté dans sa veste de laine grise, grand-maman Rosie marchait à petits pas saccadés vers son château. Un nuage l'enrobait, l'accompagnait, la soulevait presque.

J'avais laissé un espace sous mon bras pour que Julie ne manque rien du spectacle. J'ai vraiment prié, à ce moment-là, pour qu'au moins une gouttelette de cette beauté se dépose sur sa petite âme excitée, une goutte seulement, et elle serait sauvée, immunisée contre la bassesse et la sottise qui, trop souvent, sont notre pain quotidien sur cette terre.

S'étant rappelé où il avait planqué les vieux disques, Jean-Guy s'est ramené plus tard avec un trésor dans les bras. Ses doigts se sont promenés longtemps sur les pochettes avant que son visage ne s'illumine. Puis, d'un coup, on a senti s'ébrouer le vent des Marquises. C'était une bénédiction. À peine Brel entamait-il le deuxième couplet que des vagues tièdes nous léchaient les pieds. C'était tellement agréable que j'ai trouvé le courage d'aller sortir de sa cachette ma bouteille secrète, celle que je n'allais plus avoir les moyens de m'offrir. On s'en est versé des petits vers à ras bord, en se promettant chaque fois que c'était la dernière tournée, qu'après, oui, on irait se coucher.

Quelle quantité de sable restait-il dans le haut de mon sablier ? J'aurais voulu profiter de chaque seconde, être plus malin, me la savourer, cette sacrée vie. Est-ce-que j'avais vraiment décidé de mon sort ? N'avais-je pas simplement toujours été la putain du grand gigolo là-haut. Quand je dépassais les limites, il jaillissait sans fin de ces éclairs de mon cerveau. La peur de n'être qu'un membre anonyme parmi le troupeau, en train de brouter, de ruminer. Dans ces moments-là, j'avais l'impression de ne compter pour rien ni personne, ni même à mes propres yeux. Je suis demeuré un moment à cogiter ainsi, les yeux déposés sur les flammes qui vacillaient, tout comme ma vie, il m'a semblé. Qu'est ce que je foutais dans cette grande maison ? Le diable si j'y comprenais quelque chose... « Pauvre Julie ! », me suis-je entendu murmurer dans l'épais silence et l'odeur du feu de bois.

Peut-être mes tristes pensées s'étaient-elles infiltrées jusqu'au cerveau de Jean-Guy qui déjà dormait sur le divan, car il s'est retourné, laissant échapper un râle impatient. J'ai ajusté la couverture autour de ses épaules et j'ai coincé la bordure sous ses fesses. Un peu plus et je lui déposais un tendre baiser sur le front. « Dors bien ! Jean-Guy ! »

La maison gémissait, c'était pour le moins surprenant d'entendre tous ces craquements nouveaux. La petite chambre baignait dans l'ombre et, planté au milieu, je l'ai respirée tout doucement. La Jo dormait ou faisait semblant... Je me suis glissé le long de sa peau et, quand j'ai déposé une main sur son ventre, elle ne l'a pas repoussée. J'ai eu l'impression que la petite chambre m'avait déjà accepté.

9

Quand j'ai ouvert les yeux, je n'ai pas su immédiatement où j'étais. J'ai fureté un bon moment, puis lentement les contours se sont dessinés. C'était pour le moins étrange. Des sons de voix parvenaient de la cuisine. Je me suis étiré un moment, j'ai glissé un œil par la fenêtre. On y voyait une rangée de cèdres et c'est tout. Et ça m'allait bien, je me suis cru dans une cabane au fond des bois.

Ils ont tous éclaté de rire quand j'ai émergé, je devais avoir fière allure. J'ai zippé mon jean avant de prendre place autour de la table, puis me suis relevé aussitôt.

— Merde, c'est pas chaud ! Je vais aller enfiler des bas, j'ai déclaré.

Tout en gigotant des pattes, je me suis demandé si je ne m'étais pas trompé. Peut-être avais-je mal vu, peut-être était-elle à la salle de bains tout simplement ? Aussitôt revenu, j'ai visé la salle en question, mais la porte était ouverte et il n'y avait personne.

— Jocelyne n'est pas là ?

J'ai eu ma réponse dans le regard triste de Jean-Guy.

— Elle est repartie chez elle ?

— Non, non, elle est dehors.

Je me suis senti soulagé.

— Elle ne doit pas être loin, a mentionné Rosie en glissant deux cafés sous mon nez.

Sans l'avoir encore aperçue, je savais que Jocelyne était là. Je me suis avancé en prenant garde de ne pas renverser le café. Elle était appuyée à la cheminée et, en approchant, j'ai vu que des larmes avaient séché sur ses joues. Je lui ai tendu une tasse.

— Je te fais encore pleurer, j'ai murmuré.

— C'est pas toi, elle a dit... Oui, c'est toi, elle a rajouté.

Mais elle souriait un peu, tout de même.

— Je me fais chier, ma Jo. Si tu savais...

— Je trouve ça difficile... J'ai l'impression que tu seras au bout du monde.

Les seuls mots que j'aurais pu prononcer pour la rendre heureuse me restaient coincés dans la gorge, et je me détestais. J'ai piétiné, les yeux dans mes souliers.

— Tu sais ce qui me ferait plaisir ?

— Je sais pas, j'ai dit.

— Ben... si je pouvais te foutre une bonne claque sur la gueule, je crois que ça me ferait du bien.

J'ai déposé ma tasse sur le sol, je l'ai regardée et j'ai abaissé mes paupières en souriant. Pour tout dire, j'étais certain qu'elle allait apprécier, et je n'étais pas loin de penser qu'elle allait éclater de rire, et qu'ainsi peut-être nous allions jeter quelques rayons sur cette malheureuse journée qui semblait partie pour nous mener directement au cimetière.

L'instant d'après, je recevais la claque de ma vie. Je crois que ma tête a fait un tour complet sur elle-même. Je n'ai pas bronché pourtant. Peut-être, en fait, qu'à moi aussi, ça faisait grand bien.

— Tu te sens mieux ? j'ai demandé.

— Pas vraiment ! elle a murmuré.

Alors j'ai refermé les yeux à nouveau, mais en plissant le front, cette fois.

— T'es gentil, mais c'est pas la peine.

— T'as pas envie qu'on marche un peu ?

— Pourquoi pas ! elle a répondu, en m'embrassant sur la joue.

Après m'avoir signalé que j'avais sa main étampée dans la figure, je lui ai tendu la mienne, puis on a tourné nos pas vers la rue. Ce n'était pas souvent que je lui tenais la main. Je devais me concentrer pour ne pas m'emmêler les pattes. Une sensation désagréable me compressait la poitrine. J'avais l'impression que le monde entier était en fête, et qu'il n'y avait que nous qui étions malheureux, qui marchions à pas lents derrière un corbillard, sans dire un mot. Une fois au bout de la rue, on a marché jusqu'au fond du parc. La Jo s'est assise un moment sur une balançoire d'enfant, et je l'ai poussée à quelques reprises, mais ça n'a rien donné. On s'est quand même offert quelques sentiers et le sous-bois, mais il n'y avait vraiment rien à en espérer. Peine perdue, comme on dit. Sur le chemin du retour, on s'est arrêtés pour allumer une cigarette et, une fois devant la maison, j'ai réalisé que l'on ne se tenait plus la main.

Malheureusement, ça nous a fait par la suite une journée plutôt moche, avec des lardons sur l'estomac et des questions plein la caboche. Elle est demeurée sur le sofa à songer, les yeux dans le vague, m'a souri une ou deux fois pour la forme. De mon côté, j'ai plus ou moins continué à ranger, sans grande conviction cependant, manière de passer le temps, d'éviter que l'on ne s'embourbe davantage.

Julie, de son côté, était montée après le repas et c'est à peine si je l'avais revue. Elle m'intriguait joliment celle-là, mais je n'arrivais pas à mettre le doigt sur ce qui n'allait pas.

Quand j'ai demandé à Jean-Guy s'il n'avait rien remarqué, il m'a répondu qu'à son avis elle avait vieilli.

— En quelques semaines ?

Il m'a expliqué que c'étaient des choses qui arrivaient, comme un type qui grisonnerait en une seule nuit.

— Là, t'es vraiment devenu son père, et tu peux être sûr qu'elle l'a compris. Je crois que ta fille va te faire chier un brin maintenant, m'a-t-il exposé, la gueule fendue jusqu'aux oreilles.

— Je vois pas ce que tu trouves drôle là-dedans !

— C'est parce que t'es pas à ma place...

Il a rigolé.

L'histoire du matin et surtout les marques sur ma figure semblaient avoir laissé des traces. On aurait dit que le diable avait posé un pied dans la maison. Rosie me regardait de temps à autre, me signalant du bout des yeux qu'il ne fallait pas trop m'en faire, que tout allait s'arranger. J'aimais Rosie depuis longtemps mais, maintenant que nous allions être voisins, il semblait que les choses avaient décuplé. Je lui souriais de mon mieux, mais c'était peu, je le sentais bien, tout juste le sourire d'un homme qui savait qu'il allait se retrouver seul.

En fait, ça m'aurait bien plu que Jocelyne reste, mais elle n'était déjà plus là. Aussi n'ai-je pas bronché quand elle fourrait en vrac ses affaires dans son sac. Jean-Guy a fait comme Jocelyne et finalement, en même temps que les derniers rayons se courbaient derrière une rangée de toits, on s'est tous retrouvés dans l'allée, plus ou moins accrochés aux jupes de Rosie. Avec une déception mal dissimulée, je regardais Jocelyne s'installer au volant de la vieille Chrysler. J'avais l'impression que chacun de ces gestes me rapprochait d'un précipice. Je me suis mordu les lèvres à les faire saigner. Des larmes s'étranglaient au creux de mon cœur, un enfant prisonnier frappait de ses poings l'intérieur de mon ventre. Le solitaire qui ne craignait point les longues heures noires tenait bien en laisse ses chiens muselés. Jamais on n'aurait pu m'arracher une promesse, même sous la torture. Je serais mort plutôt que d'avouer que je faisais dans mon froc...

— Je vais penser à toi, ai-je soupiré.

— Tu rentres pas trop tard, Julie ?

— T'inquiète pas, le père de Claudine va me rapporter.

— Me ramener, Julie, me ramener...

C'est donc seul que ce John Wayne de la banlieue a réintégré sa grande maison et ces drôles de sons qui suintaient des murs.

Je suis monté à l'étage pour voir où Julie en était dans son installation. Elle n'avait même pas pris la peine d'ouvrir un tiroir. Tout avait été laissé en plan. Comme décharge publique, on n'aurait pu faire mieux. Mon Dieu ! qu'est-ce qu'elles avaient foutu pendant tout ce temps ?

Je n'ai pas cessé de tourner en rond pendant la première heure, touchant à tout sans insister, du bout des doigts. Je me sentais de verre soufflé, prêt à éclater. Je n'arrêtais pas de bouger, je n'avais pas posé un bout de fesse qu'aussitôt un ressort m'éjectait.

Pendant des années, je m'étais méfié de ce marché de dupes et voilà que maintenant, comme un crétin, j'y sautais à pieds joints. Mais qu'est-ce qu'on avait tous à bouffer de l'amour à s'en rendre malade, à en redemander, à s'en éclater la panse ? Merde, ce qu'ils me manquaient ! Et ciel que j'en crevais !

Pour marquer le coup, j'ai sorti ma bouteille. Me suis laissé tombé dans un fauteuil. J'allais la porter à ma bouche quand j'ai entendu des bruits venant du porche, puis plus rien. J'ai tendu une longue oreille inquiète... L'instant d'après la porte s'ouvrait. J'ai sursauté, moitié apeuré, moitié plein d'espoir, mais ce n'était que le vent.

10

Contrairement à ce que j'avais appréhendé dans le regard de Julie les premiers jours, le terrain sur lequel j'avais posé le pied ne s'est pas avéré aussi miné que je l'avais imaginé. Chacun surveillait ses frontières, la main de fer dans un gant de velours. De tendres politesses en tendresses polies, ainsi nous étions-nous faufilés entre la trentaine qui nous séparait sans que ni l'un ni l'autre n'ait à brandir le fouet, autrement dit, tu me fous la paix et je te rends la pareille, ainsi soit-il !

J'aurai quinze ans bientôt, se plaisait-elle à me rappeler cent fois par jour, et j'avais ainsi découvert ce qui m'avait échappé pendant si longtemps, et qui m'avait tellement intrigué durant les premiers jours.

— T'aimais ça pourtant, ma chérie, quand on s'asseyait pour manger ensemble, quand on faisait de longues marches...

— J'aime encore ça, mais maintenant c'est plus pareil. Maintenant, t'es mon père !

— Et avant, j'étais qui à ton avis ?

— Papito. T'es encore Papito, mais t'es beaucoup plus mon père. Tu veux, tu veux pas, tu t'occupes de tout, t'es toujours là à fouiner, c'est plus pareil ! T'es pas mal achalant !

— Comment ça, fouiner ? Julie !

Et un tas d'autres choses aussi que je ne saisissais pas très bien. Assurément, elle était tout autre que celle que j'avais connue une fin de semaine sur deux. Et ses seins qui maintenant me crevaient les yeux n'étaient rien en comparaison du feu qui brûlait en son âme. Ce n'était pas si facile d'imaginer qu'elle avait une vie à vivre. Je ne savais pas si je devais m'en réjouir ou en pleurer.

Elle allait et venait avec ses petits secrets enfouis dans sa caboche, et, si elle laissait échapper quelques mots dans une journée, elle avait l'air tout essoufflée. Et ça m'essoufflait aussi. Non pas que j'eusse tant de choses à dire, mais puisque que nous étions deux... Enfin !

— T'as pas envie de jaser un peu ?

— Jaser de quoi ? disait-elle, en insistant sourdement sur le « quoi ».

Le temps qui fuyait à une vitesse accablante était aussi une chose qui me désolait. C'est tout juste si j'arrivais encore à lire quelques lignes. Plus souvent qu'autrement, moi qui avais toujours détesté ça, je me retrouvais avachi devant la télé.

— Tu vas voir, c'est super, c'est l'histoire d'un gars qui se change en animal et qui mange le cerveau des gens pour survivre...

— Un politicien, j'ai dit !

— Niaise pas !

— Je niaise pas, Julie !

Quand j'avais de la chance, la bestiole mourait avant la fin du film, sinon c'était une de plus à tournailler dans la maison. Des monstres de tout acabit sont venus nous visiter, je me creusais la tête, je me disais ça n'a pas d'allure, je me déglinguais le cerveau, mais est-ce qu'un simple Papito, se nourrissant de bœuf haché, peut espérer rivaliser avec un type super qui dévore le cerveau des gens ? Que mes négociations n'aient pas encore abouti, que je n'aie pas encore droit à ma part d'eau chaude pendant qu'elle s'en déversait des tonnes sur la tête, je n'allais pas en faire un drame. Ainsi, j'imagine, s'ébrouaient des années de paternité contenue. Je me sentais fourmiller, excité du dedans par les milliards de spermatozoïdes qui, enfin libérés, remontaient joyeusement le courant comme des saumons affamés. J'en avais le poil dressé à longueur de journée, et c'était sur un frisson de six pieds que chaque soir je tirais la douillette.

Je ressassais tout ça justement, ce soir-là, assis sur un bout de sofa, les coudes sur les genoux, en lisant la lettre que j'avais reçue de l'école, et n'y croyant tout simplement pas.

— Tu vas voir, m'avait averti Louise, ce n'est pas du tout comme la fin de semaine. Il existe deux Julie ! Et je te donne pas deux mois pour que le reste de tes cheveux soient devenus gris !

D'une certaine façon, je comprenais maintenant ce qu'elle avait voulu me dire, mais d'une autre, je trouvais qu'elle s'était vraiment empêtrée dedans, et jusqu'au cou. Il n'existait qu'une seule et unique Julie... Je l'observais depuis un bon mois, et aucun doute ne subsistait dans mon esprit. Elle était telle que je l'avais toujours connue, longue, maigre et joyeuse, avec des ongles noirs de sorcière et le reste à l'avenant. Au moindre signe d'impatience de ma part, une légère fossette plissait son visage et me couvait d'un regard si bleu qu'aussitôt j'en devenais tout sucre, ce qui évitait à coup sûr de nous en casser sur le dos. Elle avait pris quelques années, ça, je devais l'admettre, mais pour le reste, vraiment, je ne percevais aucun décalage entre la Julie que j'allais chercher chez sa mère et celle qui, dans quelques minutes, déposerait une pile de livres savants sur la table. Avant de s'y asseoir, elle visiterait le réfrigérateur, prendrait un verre d'eau, s'étirerait, donnerait quelques coups de téléphone importants qui ne souffraient aucun délai et, scrupuleusement, soustrairait de l'heure d'étude convenue tous ces petits contretemps. Ouais, aucune surprise. Sauf que...

Une simple méprise, une erreur de perception s'était glissée dans l'image qu'on avait inculquée à cette pauvre enfant, quand on lui avait enseigné le sens des symboles figurant sur un calendrier ! Ainsi, l'année comptait-elle, pour elle comme pour nous, trois cent soixante-cinq jours. Une menue différence s'était pourtant coulée dans sa compréhension de la chose, créant une légère distorsion qui, sans tout expliquer, jetait un peu de lumière sur certains de ses comportements. Là où, nous, simples mortels, suant jour après jour, avions convenu d'une division de l'année en cinquante-deux semaines de sept jours, dont deux ou trois seraient consacrés au plaisir, Julie se représentait la chose comme une seule et longue fin de semaine de trois cent soixante-cinq jours, et un de plus les années bissextiles. Une Julie et un éternel week-end... Une joie sans fin !

Cette enfant avait réinventé le paradis sur terre et moi, minable ver de terre, je m'apprêtais à l'en chasser comme sa mère Ève l'avait été. Je me suis glissé le goulot dans la bouche en lui demandant d'avance mille fois pardon pour cela. Comme un chaton apeuré, s'enfuyant sous un balcon, le vilain papier est vivement entré dans ma manche, au premier son de ses pas dans l'escalier. Et je m'en suis allé brasser le feu, espérant ainsi calmer celui qui couvait en moi depuis le matin.

Le bulletin scolaire de ma fille m'avait mis dans tous mes états. La bouche grande ouverte et tout ce qu'on voudra. Mieux qu'un baptistère, ce document était venu confirmer officiellement que j'étais devenu un véritable père. Que cela m'ait fait un drôle d'effet en déchirant l'enveloppe, qu'une larme m'ait effleuré la joue n'est rien en comparaison de l'orage qui en mon cœur s'est soulevé quand les chiffres devant mes yeux ahuris se sont mis à danser. Était-ce bien sur cent que je devais considérer les notes que j'avais sous les yeux.

J'ai encore tournaillé dans la pièce un temps pendant qu'elle suçait la mine de son crayon, qu'elle froissait du papier. Tout en elle paraissait se concentrer quand elle s'attablait devant ses cahiers. Fallait le voir pour le croire. Ça m'était incompréhensible qu'un front si jeune et si lisse puisse à ce point se transformer. Je n'arrivais pas à découvrir où elle allait dénicher autant de rides. Un œil non averti aurait facilement pu croire que la pauvre y mettait toute la gomme, qu'elle n'était qu'à un cheveu de s'éclater les neurones. Avec rien dans les mains, rien dans les poches, avachie dans un sofa, que je sois changé en statue de sel si, se sentant menacée de fournir un effort, elle n'était point capable de s'envoyer une coulée de sueur et de mimer une fatigue éternelle dans la seconde. Ne l'avais-je pas vue entrer un jour après l'école, se tenant une tête si lourde qu'on l'aurait crue prête à rouler sur le plancher ? N'avait-elle pas, ce jour-là, déposé au creux de ma main paternelle et inquiète un front si brûlant que du coup ma colère, pourtant légitime, s'était transformée en une coulée de miel ? Pauvre chouette !

— T'as eu une grosse journée, j'imagine ?

— Ouais, superécœurante, papa !

— La secrétaire de l'école a appelé, Julie...

— Ah oui !

J'étais demeuré un moment abasourdi, je dois bien l'avouer. Dégingandée comme une poupée de chiffon, elle mentait déjà comme si elle avait fait le tour de la terre cent fois. J'avais tourné en rond un bon moment, évidemment. Me creusant les méninges, piochant, pendant qu'elle gigotait au bout de ma ligne.

— Julie, on fait un pacte !

— Un pacte ?

— Ouais... Que tu manques l'école à l'occasion, je dis bien, à l'occasion, c'est pas si grave, mais j'ai pas envie de passer mes journées à me demander si un con t'a pas enlevée, si t'es pas attachée à un arbre, les fesses à l'air... Alors tu m'appelles ou tu me préviens la veille, et ça reste entre nous... un secret !

— T'es sérieux, papa !

— Ouais... Mais pas souvent, juste si c'est vraiment nécessaire... On se comprend bien...

— Tu me punis pas ?

— Na... pas envie.

— T'es bizarre, Papito...

— On trouve rarement un oiseau blanc dans un nid de corbeau, j'ai dit...

— Quoi ?

— C'est Rosie qui dit ça ! T'as le droit de mentir autant que les autres, autant que ta mère et moi tout au moins, sinon tu ne t'en sortirais pas. Mais faut pas mentir à ceux qui t'aiment, tu penseras à ça.

Et du même coup... j'y avais songé aussi. J'étais maintenant un homme averti, comme on dit. De là à en valoir deux, il me restait encore un grand pas à franchir. C'est donc à pas de loup, sans bruit, que sous la table j'ai glissé les pieds. J'ai tout de suite su qu'elle savait, juste à la manière dont les chiffres s'alignaient bien serrés sur la feuille qui brûlait entre ses mains. Une enseigne invisible mais aussi lumineuse qu'une devanture de magasin au temps des fêtes flottait au-dessus de sa tête et on pouvait y lire : GÉNIE À L'ŒUVRE, NE PAS DÉRANGER... J'ai donc attendu patiemment que la pression se fasse assez lourde pour qu'elle daigne officiellement constater ma présence. Je n'étais pas de taille, je le comprenais bien. À cet instant, si j'avais eu le choix, j'aurais cent fois mieux préféré affronter un ours à mains nues que ce bout de femme dont le mystère à mes yeux demeurait absolu.

J'aurais tellement voulu que tout se passe autrement. Je me suis allumé une cigarette en attendant. Au fond, j'étais probablement le seul nuage dans son ciel tout bleu, et je crois bien qu'elle attendait juste que je m'évapore. Plus les secondes s'écoulaient et plus il m'apparaissait évident que nous allions y passer la nuit. Je me suis donc honteusement servi d'une aide pédagogique, comme on dit, et je lui ai glissé son bulletin sous le nez. Elle a enfin daigné lever le sien... Elle a calmement ramassé la feuille de papier gris orage, et c'est à peine si elle a sourcillé en me le tendant.

— Ah, ça ! mon bulletin... C'est avant que je déménage chez toi, Papito, maintenant ce n'est plus pareil, elle m'a soufflé. Maintenant, je travaille...

Et elle m'a souri, se redressant sur sa chaise comme une fleur sur sa tige. Un magnifique sourire qui me fauchait l'herbe sous le pied. Papito ! Papito ! J'ai éclaté de rire, elle s'est renfrognée. J'ai cessé de rire, elle a souri. C'était comme avant le déluge et après le déluge. Disparu le passé, enterré ! Un monde nouveau était né ! C'était à croire que j'étais le dernier à me trimballer du bois sur le dos, à m'enfoncer des épines dans le crâne.

— Quand même ! me suis-je rattrapé *in extremis*, j'aimerais bien voir tes cahiers, tes horaires, me renseigner un peu, tu vois.

— T'as pas confiance en moi !

— Te fâche pas, ai-je supplié. Je suis ton père, pas seulement ton Papito, c'est même toi qui me l'as dit. Tu comprends...

— Je n'aime pas qu'on se mêle de mes affaires, je suis assez grande pour savoir ce que j'ai à faire ! a-t-elle craché.

— Si c'est comme ça, Julie, explique-moi, pourquoi j'ai reçu ce torchon-là.

J'ai hoché gravement la tête. Une partie importante se jouait, j'avais l'impression de tenir une bombe dans la main et qu'au moindre faux mouvement on allait tous les deux s'éparpiller, et la viande et l'âme, au quatre coins de la maison. Un silence étourdissant nous sifflait dans les oreilles, mon cœur semblait s'être répandu dans tout mon corps, et c'est dans les jambes, les bras, le ventre, le dos, que je l'entendais battre sourdement.

— Où vas-tu ? Reviens, on va parler !

— Je m'en vais chez grand-mère, au moins là, j'ai la paix ! Et personne ne rit de moi...

— Julie, je t'en prie, comment veux-tu que je fasse le papa si tu m'aides pas un peu ? J'ai pas le choix... Tabarnouche ! c'est quoi cette histoire-là ?

Maudite école !

Des années de misère, à ramper, à me faufiler comme un rat traqué. Dieu que j'avais pu haïr l'école ! Ce qui, sur l'heure, ne m'aidait pas à trouver les mots qu'il aurait fallu, même que plus j'en cherchais, moins j'en trouvais. L'école... l'école... Et pour en arriver à quoi ? Nom de Dieu ! Pour en arriver à quoi ? De la chair à bureau, des robots d'usine. Des vendeurs de pacotille. La photo d'une vielle Anglaise imprimée sur une poignée de billets crasseux. Était-ce cela que je désirais pour ma fille ? Quel sentiment étrange me portait soudainement à prêter main-forte à tout ce système ? Pour quelle raison me faisais-je le complice de cette gigantesque machine à digérer les âmes ?

Elle pleurait maintenant. Je lui ai tendu un mouchoir en papier pendant que je m'emparais de son barda. Et, si je ne savais pas vraiment où tout ça allait nous mener, c'est tout de même sans regret que je vis la première feuille de papier se tordre dans les flammes...

— Papa ! *Shit !* t'es devenu fou !

— J'm'en crisse ! Qu'elle brûle, la maudite école ! Au moins, ça nous tiendra au chaud !

D'une main, j'ai envoyé une deuxième feuille valser dans le feu.

— Arrête ! Sacrifice ! c'est mon devoir...

Elle me fusillait de ses yeux mouillés, se disant, je le voyais bien, que son père avait pété les plombs, et doutant que j'aille aussi bien que j'en avais l'air.

— Ça va, a-t-elle murmuré à la fin. J'ai compris, papa.

— Je veux pas me chicaner avec toi, Julie. Va falloir que tu m'aides, ma fille, sinon j'y arriverai pas... Je m'excuse pour les feuilles de ton devoir...

— J'ai compris, a-t-elle répété. T'en fais pas !

J'étais bien content qu'elle ait compris, parce que sa fossette s'était redessinée au creux de sa joue, parce que maintenant ses yeux m'aimaient, parce qu'elle le trouvait drôle, son papa, et que son papa, lui, il avait bien besoin d'être aimé, le pauvre... Mais je n'avais aucune idée de ce qu'elle avait compris et, d'une certaine manière, je m'en foutais délicieusement.

— Tu veux boire quelque chose ?

— Du jus, elle a répondu, en défroissant la dernière feuille qu'elle avait réussi à récupérer de justesse.

Par la suite, j'ai bien essayé de me faire pardonner, le front plissé, lorgnant les feuilles de son devoir par-dessus son épaule, mais elle m'a vite indiqué la direction du divan où je me suis assis en me grattant la nuque, très peu rassuré, à vrai dire, sur ce qu'il venait de se passer. Enfin, elle n'avait pas foutu le camp, elle tenait un crayon, la tête penchée sur un livre... Qu'aurais-je pu demander de plus ? La vie n'était-elle pas un jardin de roses ? Étais-je en train de rêver ?

J'ai attrapé mon livre et me suis versé une goutte.

Puis j'ai songé à la Jo, ma belle savante diplômée, et me suis demandé ce qu'elle aurait fait à ma place. J'en ai des chaleurs juste à l'imaginer. Des mots en rangs serrés, par colonnes et au pas s'avancent vers moi, menaçants, pendant qu'à croupetons, la tête entre les jambes, je hisse le drapeau blanc. Pendant un instant, une seconde à peine, m'est même venue l'idée de demander à Julie de ne pas lui en parler, mais je me suis ravisé... Pas si fou, le papa !

— L'importance de l'ordre et de la discipline, mon beau, tu comprends...

— M'en fous, Jocelyne !

— Acquérir de bonnes habitudes de travail...

— C'est effrayant si ça m'excite quand tu m'parles comme ça, ça te tentes-tu, mon amour ?

Reste qu'elle me manquait. Je m'ennuyais d'elle et me surprenais parfois à rêvasser, mais je savais aussi mettre un frein à mes songeries, car jamais ça n'aurait pu fonctionner. Jamais au grand jamais !

— Julie, t'as eu des nouvelles de Jocelyne ?

— Oui...

— Oui, quoi ?

— Pas grand-chose... Elle a décapité un seul type cette semaine. Avec une épée, je crois.

— Hein ?

— Je niaise, Papito, elle lui a juste arraché les gosses avec une paire de pinces.

— Julie !

J'ai fait semblant que ça n'avait aucune espèce d'importance et j'ai rouvert mon livre sur mes genoux. Au bout de quelques minutes pourtant, je suis revenu à la charge, incapable de me concentrer.

— Finalement, elle a appelé ou non ?

— Oui. Elle vient vendredi soir.

— T'aurais pu me le dire.

— M'excuse, oublié !

— T'aurais aimé qu'elle reste avec nous ?

— Pourquoi tu demandes ça, Papito ?

— Comme ça.

— Je l'aime beaucoup, tu sais.

Je suis resté coi un bon moment, la figure un peu penchée sur le côté, les yeux dans la vague...

— Je l'aime beaucoup aussi, j'ai dit. Même si c'est une dangereuse maniaque, j'ai rajouté.

Et je le pensais vraiment. Depuis les derniers mois, ma Jo ne travaillait plus, elle montait tout simplement au front. Et je m'inquiétais.

Elle n'y allait pas de main morte, comme on dit. Je me demandais souvent si elle n'allait pas un jour se mettre les pieds dans les plats, si un type n'allait pas l'égorger, comme j'en avais eu si souvent envie. Quand j'osais lui communiquer mes tendres inquiétudes, j'en prenais pour mon rhume, alors je n'insistais pas. J'espérais à tout le moins qu'elle s'était gardé un coin dans son cœur pour respirer. Qu'elle n'allait pas devenir une de ces femmes qui sont prêtes à incendier toute la forêt parce qu'un virus s'est attaqué à quelques arbres.

— Est-ce qu'elle vient pour toute la fin de semaine ?

— Je sais pas, elle a juste dit qu'elle te rappellerait...

J'étais en train de lire un livre passablement déprimant, dans lequel Noam Chomsky racontait que les Américains avaient le nez fourré partout, qu'ils étaient responsables, sinon de toute la merde qui inondait la planète, du moins d'une immense partie, et pour tout dire, ce n'était pas la joie. L'idée étant, quand je m'étais procuré ce livre, de me sentir intelligent, je me suis arrêté une seconde pour évaluer si tel était le cas. Puis je me suis levé et ai replacé monsieur Chomsky dans sa case habituelle sur le rayon de la bibliothèque. M'était avis que ça suffisait, que j'étais pour le moment suffisamment intelligent. Mon doigt s'est ensuite promené le long des étagères, sur le tranchant des livres, tu brûles, tu gèles, comme quand j'étais petit, et j'ai finalement tiré un petit bouquin hors de sa cabane, en me soufflant sur les doigts. Quand je me suis laissé tomber à nouveau sur le sofa, je respirais déjà mieux. J'adorais John Fante et surtout *Demande à la poussière.* J'avais lu ce roman une bonne dizaine de fois. Pourquoi pas une fois encore, après tout ?

— Pendant que j'y pense, Julie, t'as pensé à appeler ta mère ?

— Ouais, elle a fait, sans lever la tête.

— Ouais, quoi ?

— Je l'ai pas appelée, je l'ai vue en arrivant de l'école, chez grand-mère.

— Et comment elle va ?

— Pas très ! Bye-bye les amours ! Elle va rester chez grand-mère quelques jours.

— T'es pas sérieuse !

Cette fois, elle avait levé la tête et, quand j'ai rencontré ses yeux, j'ai cru y discerner une certaine inquiétude. Elle a repoussé sa chaise, est venue vers moi et, d'une curieuse façon, m'a balayé une main dans les cheveux comme si elle voulait les épousseter.

— Moi, je t'aime, Papito, même si des fois t'es achalant.

Et il y avait plein de flammes dans ses prunelles, de celles que l'on retrouve uniquement dans les yeux des femmes, et je me suis dit que je voulais vivre au moins cent cinquante ans, qu'il n'était pas question que je manque ça.

Quand elle est montée, un peu plus tard, je l'ai suivie du regard. Puis j'ai pensé à sa mère, lui souhaitant tout le bonheur du monde : un type blond aux yeux bleus, par exemple, un homme merveilleux, et avec une jolie maison à la campagne, si ce n'était pas trop demander. Qu'elle ait du succès dans ses amours, et le plus vite possible, c'est tout ce qu'en mon âme j'espérais pour elle. Dieu m'est témoin que je ne lui voulais que du bien. Et sur ça, j'ai ouvert mon livre.

— Comment allez-vous, monsieur Fante ?

11

Vraiment, nous habitions un iglou. Pas une fenêtre qui ne fût recouverte d'une épaisse couche de givre. La maison craquait ses immenses jointures dans une rare lumière aussi épaisse que du lait. Je découvrais que les bruits des autres locataires me manquaient, qu'être le seul à se lever dans une grande maison, c'était comme se lever cent fois. Vous aviez le temps de pleurnicher mille ans en préparant le café, de vous déposer le derrière sur une banquise avant que votre âme ne daigne vous rejoindre. La mienne semblait prendre de plus en plus ses aises, c'était une frileuse, j'imagine...

L'auto aurait déjà dû ronronner depuis un bon moment selon la sentence que je m'étais imposée, mais arracher ces mains qui à la tasse misérablement s'accrochaient, je n'avais pu m'y résoudre. Le poêle en fonte qui nous ressuscitait d'entre les morts le soir avait des airs de pierre tombale le matin. Déjà allégrement, le petit monstre avait bouffé cinq cordes de bois. Pourvu que l'hiver ne s'éternisât pas trop ! Je commençais à comprendre ce que cela pouvait représenter de se sentir avalé. Trois petits mois avaient suffi pour que je pose un pied sur le seuil de la pauvreté et que j'y avance l'autre. Pour cinq dollars d'essence, je m'arrachais le cœur. Pour que les bottes de la Jul tiennent le coup jusqu'au printemps, je levais les yeux vers le ciel. Que mon petit copain là-haut fût encore à me sonder les reins, il n'y avait pas à en douter. Et je souriais tout simplement. Marcher ainsi en équilibre sur le bord d'un précipice m'apportait une certaine jouissance, je dois bien l'avouer. Une manière de paix bizarre m'envahissait dans l'adversité. Aurais-je donné un gramme de mon cœur pour quelques billets crasseux ? Est-ce que le simple plaisir de bichonner une auto neuve, de déambuler en bermuda rayé sur un terrain de golf, de me promener avec un caniche sur les talons, d'arroser un carré de goudron par un beau soir d'été, aurait pu compenser le nœud coulant autour du cou, la télé, les fringues d'enterrement et les patrons véreux ? Non, merci beaucoup ! Et j'ose l'affirmer, je n'enviais rien ni personne et jamais l'idée ne me serait venue d'abandonner mes inquiets ou de fonder une entreprise... Pour d'obscures raisons, je voulais poursuivre la route à ma façon. «Viens, petite souffrance, viens, ma jolie, dépose ton sac à merde ! »

Ainsi donc, pour tout dire, les factures ne m'arrachaient pas un cri, le mal était ailleurs. Un trou béant, un grand vide impossible à réchauffer. Comme d'attendre seul au milieu d'une gare, dans un coin perdu, où plus jamais un train ne risque d'arriver, les mains tendues au-dessus d'un poêle éteint. Mais je tenais les poings fermés. Et je soufflais dessus. Du feu dans les yeux, je résistais, refusant d'envisager le pire.

Rien ni personne n'aurait pu me faire douter du retour de ma Jo... et je m'assurais qu'elle retrouve la place propre et un cœur parfumé, et pourquoi pas aussi, quelques bûches dans la cheminée. J'y veillais. Je ne comptabilisais ni mes heures ni mes peines, et c'était une énorme corvée, car j'avais le cœur gros.

Je me suis servi un deuxième café. Me suis reposé le cul sur ma chaise, il n'y avait pas de presse. Au lent chuchotement de ses pas sur le plancher là-haut, j'ai compris que Julie avait réussi l'exploit de se sortir du lit, elle aussi. J'ai tout de suite laissé tomber deux tranches dans le grille-pain, sorti le fromage, et je me suis vissé sur ma chaise, les yeux tournés vers l'escalier.

Deux roseaux secs émergeant d'une jaquette déchue ont d'abord déchiré la lumière, pendant que le reste tremblotant descendait péniblement. Elle non plus, c'était évident, ne pouvait pas croire qu'on y était déjà, au matin. Son visage n'était que douleurs et tiraillements. Arracher une enfant du lit à une heure si matinale était de la cruauté mentale, elle en était la preuve, à moitié morte. Si je n'avais pas été certain que nous étions seuls dans la maison, j'aurais pu croire que là-haut, pendant la nuit, on me l'avait rouée de coups, ma fille. Des bajoues de bouledogue lui pendaient aux mâchoires. Quand elle eut terminé de se labourer le ventre, ses longs doigts onglés noirs se sont plantés dans ses yeux, elle allait se les arracher, cela ne faisait aucun doute. La froidure qui, au pied du lit, avait dû l'accueillir semblait lui avoir aiguisé le caractère. Elle ne payait pas de mine. Lorsque je lui ai présenté ses rôties, elle s'est mis une main sur la poitrine, mimant le geste de me les restituer à l'avance...

Je n'avais pas fermé l'œil de la nuit. Occupé à réfléchir, à penser à Jocelyne et surtout à la maudite connerie qui avait dégueulassé ma vie.

— *Shit !* je n'ai presque pas dormi, a-t-elle vociféré.

— T'aurais dû descendre, ai-je dit, je n'ai pas dormi, moi non plus.

— J'ai mal au cœur, Papito, a-t-elle poursuivi, s'élançant vers la salle de bains.

C'est quand elle a rappliqué que j'ai compris dans quel cirque je m'étais embarqué et comment, avec la meilleure volonté du monde, il se pouvait que ce ne soit pas encore suffisant.

— Regarde ! a-t-elle gémi.

Quatre espèces de souris sanguinolentes lui pendouillaient au bout des doigts. Elle les tenait à bout de bras, les balançant presque sous mon nez pour que je me rende compte du malheur qui l'accablait. Qu'elle attendait de son superpapa rien de moins qu'un miracle ne faisait aucun doute, ses yeux me broutaient la cervelle.

— C'est normal, tu crois ? m'a t-elle questionné.

Je n'en savais rien. À vrai dire, je n'en savais absolument rien... Plus ça gigotait devant mes yeux et moins je savais. J'en aurais pleuré pour elle qui, sous la main, n'avait que moi pour lui servir de mère. C'est peu dire que la pauvre se retrouvait soudain orpheline. Enfin, pour ce qui était des quatre foies ensanglantés qu'elle me tenait toujours sous le nez, je lui ai dit qu'elle pouvait les balancer à la poubelle, qu'on n'allait pas les garder en souvenir. Était-ce beaucoup, quatre tampons en une seule nuit ?

— Attends-moi, j'ai dit, je reviens !

Depuis le temps, elle ne se souvenait plus très bien, c'est ce que Rosie m'a expliqué. Ses dernières menstruations remontaient à vingt ans et ça ne l'avait jamais empêché de faire ses journées, à cela aussi j'acquiesçai, me tâtant le bas du corps sans que l'ombre d'une lumière en jaillisse.

— Jocelyne, elle, saurait sûrement, m'a-t-elle soufflé.

— Ça, c'est une bonne idée ! T'es vraiment un génie, Rosie.

Pour la première fois de ma vie, je venais de tutoyer ma vieille amie, comme si ça allait de soi, aurait-on dit. Elle m'a regardé en souriant, que dis-je, en rigolant, se foutant de ma gueule démesurément, mais je n'en avais que faire, et je me suis penché bien bas, puis je suis sorti, et l'instant d'après, une main serrant mon foulard, je fonçais comme un renard. Quel merveilleux prétexte ! Quel doux cadeau ! La voix de ma vipère au bout du fil, sans que je n'aie à porter la croix ni à la grimper jusqu'au sommet du Calvaire. J'ai tourné dans l'entrée sur les chapeaux de roues.

Ma fille m'attendait, le nez collé dans la fenêtre.

— On va appeler Jocelyne, j'ai déclaré.

— Ah oui ! c'est une bonne idée !

— Une merveilleuse idée ! j'ai laissé filer.

Julie lui a expliqué la quantité, la couleur, les caillots, et depuis quand. J'ai attendu, un crayon à la main, prêt à tout noter pour la prochaine fois. Pourtant, je me doutais bien qu'il n'y aurait probablement pas de prochaine fois, la vie étant ainsi faite qu'elle attaque rarement deux fois au même endroit et qu'elle préfère toujours vous tirailler le bout que vous avez laissé à découvert. Quelquefois, elle me faisait l'effet d'une vicieuse à tête chercheuse, la vie...

— Qu'est-ce-qu'elle a dit ?

— Qu'il fallait qu'on aille chez le médecin.

— Ça, j'aurais pu le trouver tout seul, ai-je maugréé. Donne-moi l'appareil, veux-tu !

Jocelyne aurait pu répéter le même mot cent fois que cela m'aurait suffi, m'aurait-elle traité de tous les noms, que je n'aurais pas bronché.

Pour entendre le son de sa voix, j'aurais pu marcher sur des tisons ardents, j'en avais sur tout le corps, le poil retroussé. Elle ne m'a pas juré tout l'amour du monde, on le comprendra, et pas seulement parce qu'il était trop tôt. Sa peau encore toute chaude, à peine sortie du sommeil, dégoulinait dans mon oreille. L'espace d'une seconde, je me suis frotté sur ses cuisses, puis ma main s'est faufilée dans son dos pour enfin disparaître sous sa jupe. Et, aussi déplacé que cela puisse paraître, pendant qu'elle me causait savamment de menstruations, qu'elle m'expliquait la chose dans le détail, qu'elle m'énumérait les précautions à prendre et que chaque fibre de mon corps semblait être à l'écoute, je me payais un joli début d'érection. Homme simple s'il en fut, c'est ainsi, tellement elle me manquait. J'aurais pu l'inonder au bout du fil.

— J'amène Julie chez le doc, je te donne des nouvelles. Je pense à toi, ai-je misérablement conclu.

— Moi aussi, mais j'aimerais mieux pas ! T'as vraiment dépassé les bornes, cette fois. Si ça va bien pour Julie, je préférerais que tu ne me rappelles pas.

— ... Jo !

***

Que l'idée d'accompagner ma fille dans le bureau du docteur m'ait effleuré, mon cœur de père n'oserait le nier. Mais c'est d'un seul sourcil à peine soulevé que Julie m'avait vite cloué au milieu de mon effort. Et c'est ainsi que, pendant que le diplômé à sans doute lui trifouiller les endroits secrets s'occupait, moi, le père renié, je me rongeais les sangs.

J'ai ramassé une revue sur la table basse et je m'en suis habilement confectionné un paravent. Pas une seule chaise inoccupée dans toute la salle, des milliards et des milliards de microbes n'attendant que le moment de passer à l'attaque. C'est tout ce que je voyais et cela dit sans méchanceté, je constatais simplement et je m'inquiétais. Je tremblais littéralement. En rangs serrés, en colonnes de quatre, ils circulaient à leur guise comme sur un champ de bataille, l'œil aux aguets, armés jusqu'aux dents, prêts à infiltrer l'ennemi par la moindre faille. Ainsi ne respirais-je qu'à peine et me serrais-je au mieux tous les orifices, espérant que l'autre dans le bureau ne s'égarait point et s'en tenait au strict nécessaire.

Il y avait bien une trentaine de minutes qu'elle y était maintenant, et je commençais sérieusement à me demander si je n'allais pas enfoncer la porte quand elle est enfin sortie, les doigts rougis aux jointures serrant à l'étouffer un petit sac de plastique. Elle souriait comme si le type venait de lui sauver la vie. Et ce fut sans joie que je la vis s'étrangler dans un merci si dégoulinant qu'elle en avait presque la bave au menton.

Ah, comme elle se le cajolait, son petit sac ! Oh, qu'elle se le pressait tendrement sur le cœur ! Un seul doigt tendu vers la chose aurait été un doigt en moins, je n'en doutais pas, aussi m'en tenais-je éloigné et me contentais-je de grimacer. En trente minutes, on me l'avait bien transformée, ma Julie. Dix ans qu'elle avait pris d'un seul coup. J'avais bien compris, vous pensez bien.

— Ce n'est pas ce que tu penses, a t-elle minaudé.

— Parce que tu penses que je pense à quoi, mon amour ?

— Ben, je sais pas, Papito...

Au fond, ça tombait bien, moi non plus, je n'avais plus tellement envie d'aller travailler. J'ai réglé ça en deux coups de téléphone, un à mon bureau et un à son école, pendant qu'elle sortait le poêlon et la margarine.

— Il n'y a plus grand-chose à manger, papa.

— J'irai cet après-midi, ma chérie...

Et j'ai plongé dans une eau que je croyais limpide et bleue, pendant que ses mains nous façonnaient deux boulettes de viande hachée. Complètement gaga en un instant je suis devenu. Elle, sachant qu'elle n'y couperait pas, s'était jetée sur l'ouvre-boîte. Elle ondulait du regard, s'amusait ferme, comme un vieillard devant un enfant gazouillant. Comme il est mignon, comme il est gentil le petit papa ! Que je l'entendais presque marmonner à travers son sourire.

Dire que l'amour était soudainement devenu une grande chose est bien peu, et moi-même qui, pourtant, prononçais les mots, j'en croyais à peine mes grandes oreilles. Qu'il faille s'en approcher comme dans un état de prière, humble de cœur et d'esprit, je me demande encore où j'avais bien pu pêcher ça. Que l'amour puisse contenir en son sein le germe en fermentation du bonheur autant que du malheur, c'est fort simple, et pas très compliqué, je n'en revenais pas.

Il semblait que vingt-cinq ans de fornication venaient de muter et que, si en mon sein béni des dieux, une érection se fût produite en cet instant, des jets de miel se seraient échappés de mon corps. Les étoiles s'en allant féconder. Merde ! Je n'aurais su expliquer d'où m'arrivait ce musulman qui, de tout mon être, semblait s'être emparé, me transformant en mirador, du haut duquel il prêchait. Cet illuminé s'était accaparé de ma bouche et déblatérait tant et autant que je fus surpris, en retrouvant quelque esprit, qu'un voile ne recouvrît pas encore le visage effaré de ma fille.

— Écoute, mon beau Papito, je pense que t'exagères, c'est juste une boîte de pilules, c'est pas de l'acide que le docteur m'a donné !

Du cœur au ventre, j'essayais bien de descendre, mais les mots s'étranglaient dans ma gorge. Elle poussait pourtant très fort, la petite question sur mes dents serrées, elle aurait vraiment adoré s'échapper, la mignonne, aller lui farfouiller un peu les méninges à la Julie.

L'autre se tenait bien à l'abri dans son rayon de lumière sous la hotte, elle touillait amoureusement ses légumes et pour la centième fois. Ce qu'elle était concentrée, la très chère ! Marie Curie devant son bec à gaz, vous préparant une soupe microbienne qui sauverait l'humanité...

Ses seins qui gagnaient en rondeur, pour ainsi dire à chaque heure, ses hanches qui s'accentuaient, le mystère qui maintenant habillait son regard, les os qui lui dessinaient des vallons au creux des épaules, chaque muscle qui, dans son corps allongé, sculptait la femme, tout cela était comme une armée qui devant moi se formait, me laissant de plus en plus seul, barbotant dans une mer d'ignorance. Une sainte peur me trillait qu'on me l'abîme ma fille, qu'on me la viole, qu'on me la brise.

J'en devenais stupide à force d'imaginer le pire, j'aurais assassiné la moitié des hommes par prévention.

Que tant de promesses en de si petites pilules fussent concentrées sans qu'on ne puisse en prédire ni l'odeur ni la couleur était comme un couteau de plus dans mon vieux cœur de père. Et que l'on me comprenne bien, et que l'on n'essaie pas de m'entortiller, ce n'est pas parce que je ne baisais plus que je me serais abaissé à lui faire des misères.

— Mange, papa, ça va te faire du bien.

— Et me fermer la trappe, j'imagine, n'est-ce pas, ma belle Julie ?

Une parcelle d'œil vers moi s'étant levée, cela m'a paru suffisant pour continuer, et tout en mâchouillant, je me suis lancé.

— Ici, c'est chez toi, tu y fais tout ce que tu veux, tu comprends ? Enfin, tu ne mets pas le feu à la baraque, mais si tu l'as ailleurs, vois-tu, ma chérie, je n'ai pas d'objection à ce que tu l'éteignes ici. Est-ce que tu me comprends, suis-je assez clair ?

Mais, tout en disant cela, j'ai eu l'impression de lui gâcher un peu de son paradis. Car n'était-ce point la terre entière que j'avais baisée, quand pour la première fois, dans ce couloir d'immeuble mal éclairé, des cuisses autour de ma taille s'étaient enroulées ? N'en n'avais-je pas, ce jour-là, ressenti une sainte jouissance d'avoir pu ainsi me jouer de tous ? Pourquoi alors, aujourd'hui, vouloir priver ma fille de cet ultime ravissement ? Perdu soudainement, fébrile, parcouru de chocs électriques... je me suis senti inquiet pour elle...

— T'en fais pas... j'suis ta fille. Il va rien m'arriver que je veux pas qu'il m'arrive.

Comme si cela pouvait me rassurer.

— Je sais, j'ai dit. Je sais.

Libéré, le papillon s'est envolé. Mais que dis-je, un papillon. Plutôt une pie, et jacasseuse avec ça. J'ai tendu l'oreille un moment, à peine, puis j'ai vite renoncé. Etait-ce vraiment nécessaire ? Elle respirait, son cœur battait, le mal était fait.

Le mieux était que je me rende utile, que je m'occupe de l'épicerie. J'ai donc vidé le contenu de mes poches sur la table. Suis allé chercher les livrets de banque dans la chambre. Et la calculatrice aussi. Et me suis attelé à la tâche, le cœur un tantinet corseté. Une main retenant ma tête lourde, l'autre feuilletant les livrets.

Ce n'était évidemment pas Paris ni New York. On aurait plutôt pensé à la Roumanie, ou tout aussi bien à la Pologne. Et pourtant j'étais bien ici, ou rêvais-je, dans le meilleur pays du monde, comme le type à la télé le mentionnait si souvent. J'ai calculé encore une fois pour être certain. J'ai soustrait à maintes reprises, pourtant c'est multiplier qui m'aurait vraiment fait plaisir. Et c'est avec un rien de tristesse dans le cœur que j'ai observé le chiffre dans le carré du haut. Il n'avait pas changé. Au fond, soixante-dix dollars, ce n'était pas si mal quand on considère que ça aurait pu être encore moins, beaucoup moins. J'ai enfilé pour la troisième fois bottes, tuque et mitaines et je m'en suis allé avec un léger pincement au cœur, comme quelqu'un qui se lance dans le vide en espérant que son parachute s'ouvrira.

***

J'ai empoigné un panier dans le stationnement et, le tenant bien en main, j'ai tenté une accélération ou deux, et encore quelques virages. Tout baignait dans l'huile. Je suis entré.

Chaleur enrobante, musique coulante comme de la chiasse d'oiseaux exotiques, fruits, légumes, emballages multicolores, lumière caressante, nom de Dieu ! Le paradis ! Et d'exaltation, je me suis craqué les jointures. Prêt comme je ne le serais jamais. La calculette sous le bras, le regard crachant des pépites d'or, agrippé au panier, j'ai attaqué.

Elles m'avaient l'air en bonne santé, ces pommes vertes, juteuses à souhait. Je les ai scrutées un long moment avant de les déposer délicatement une à une dans le sac en plastique qui, lui, s'en est allé, Bouddha heureux, méditer au milieu de la balance qui pendait du plafond comme une araignée géante. J'ai froncé un peu le front en inscrivant le montant sur la calculette, mais allez, Julie les aimait tant, ces pommes vertes.

J'avoue que le procédé pouvait s'avérer rapidement ennuyeux et pénible, et qu'à ainsi procéder on se lamentait des heures à l'épicerie. Était-ce un relent d'amour propre, une molécule d'orgueil qui encore à mon cœur trop humain s'accolait, toujours est-il que je préférais pianoter les prix sur la calculette que de subir, en passant à la caisse, les regards moqueurs de mes contemporains. Prier la caissière de bien vouloir soustraire le papier hygiénique, puisqu'il nous en restait encore deux rouleaux, et peut-être aussi ce sac de croustilles qui n'était pas vraiment nécessaire m'apparaissait comme une indélicatesse qu'à mon âme timide je me refusais d'imposer.

Ainsi donc, sans regret pour ce temps précieux qui fuyait, de la tablette au sac, puis de la balance à la calculette, et enfin au panier, laborieux et méticuleux, je me bricolais un chef-d'œuvre d'épicerie, de quoi calmer nos ventres affamés pendant deux longues semaines. Encore un miracle, ouais, un génie de l'épicerie j'étais devenu.

Assez content de me tirer des fruits sans trop de dommage, je me suis étiré un instant en mastiquant quelques raisins, me disant que c'était toujours ça de sauvé sur la facture. Le prix des fromages m'a fait sourciller, au point que je me suis demandé si les vaches ne s'étaient pas syndiquées. Une fois n'étant pas coutume, c'est un double paquet de tranches orange, aussi plastiques que celui qui les emballait, qui s'est retrouvé au fond du panier. De toute façon, Julie aimait bien, ne soyons pas snob, me suis-je raconté, on n'en a pas les moyens. Bœuf haché maigre, mi-maigre et gras, l'hiver, le gras ça réchauffe... dans le panier. Ainsi j'allais, soupesant, calculant, marchandant dans ma tête, m'arrachant des morceaux d'estomac...

J'arrivais justement au bout du voyage, j'allais tourner dans la dernière allée quand j'ai réalisé que j'avais oublié les trucs pour les lunchs de Julie. J'ai donc stationné mon chariot. Un pas de côté, un autre en avant, excusez, pardon, j'ai joué des coudes un bon moment, gagnant peu à peu du terrain, avant d'enfin attraper les paquets de viande froide. Plus loin, enfoncé dans mes pensées, j'ai failli prendre dans le ventre un panier qui, vers moi, fonçait à tombeau ouvert. D'un saut de côté, j'ai réussi à l'éviter de justesse, mais pour recevoir le suivant dans les chevilles. J'ai assuré que ce n'était rien, d'une main me tâtant, de l'autre ébouriffant une tête rousse sertie de diamants, qui atteignait à peine la hauteur de ma ceinture. Je suis reparti de plus belle, me faufilant comme une couleuvre dans un magasin de porcelaine. D'excuses en remerciements, le visage dégoulinant de sueur, j'ai finalement tourné au coin de l'allée où j'avais laissé mon panier. J'avais dû me tromper et j'ai enfilé l'allée suivante et puis une encore...

J'ai cavalé comme une brute, suant des gouttes aussi grosses que des ampoules électriques, laissant une traînée de feu sur mon passage, si bien qu'à la fin, sans m'en rendre compte, j'avais ameuté tout le magasin. C'est peu dire qu'on se couvrait de grandes bouches dilatées, le malheur des uns, c'est bien connu... Envolé, mon chef-d'œuvre, disparu, volatilisé ! On a alors vu une espèce de fou arpenter les allées, circuler avec impatience, fouiller les chariots d'un œil colombien. Les bonnes femmes fuyaient mon regard et s'emmêlaient les pattes, tellement elles n'avaient pas envie de se mesurer avec ce gorille aux bras pendants. Je me suis gratté la nuque un moment, j'ai encore regardé, incrédule, autour de moi. Lentement pourtant, je me suis fait une raison. Il ne me restait plus qu'à recommencer.

Expérience aidant, en gardant la moyenne, si j'arrivais à tenir ce rythme d'enfer, j'allais être bon pour le livre des records. Je roulais vraiment à la limite, laissant des traces noires sur le plancher brillant en dérapant dans les courbes, m'arrêtant pile devant les produits convoités. La calculette me chauffait dans la paume et mon panier se gonflait à vue d'œil. Je tenais bon, évitant de réfléchir, j'y allais d'instinct. J'étais à la limite du soutenable, j'avalais littéralement le sol, j'avais les barils de riz dans ma mire, j'ai encore accéléré un coup. Le panier a laissé échapper un soupir quand je me suis arrêté.

Soixante-dix livres avec ses vêtements et sa sacoche, les cheveux bleus, les pattes flageolantes et les mains tremblantes, elle introduisait un à un les grains de riz dans un sac de plastique, comme si elle égrenait un chapelet. Ça m'a mis sur les genoux. Elle s'est arrêtée soudainement et tous les plis de son visage se sont tendus vers le ciel. On aurait dit qu'elle lui demandait combien elle en aurait encore besoin avant d'entreprendre le grand voyage. Au fond de son panier s'étalaient éparses de maigres rations, à peine de quoi nourrir une souris famélique. Je ne l'ai pas lâchée d'un poil, ma jolie rose fanée. On a bloqué des allées complètes en roulant doucement côte à côte, cependant que des regards méchants je distribuais tout autour.

— Gracelle, elle a dit, en arrivant près des caisses.

— Pardon ?

— C'est mon nom, m'a t-elle répété, de sa voix pointue de souris fatiguée, Gracelle...

— C'est le plus joli nom que j'ai jamais entendu, j'ai dit.

— Pardon ?

— Vous avez un joli nom, j'ai répété tout près de son oreille.

— Vous êtes bien gentil, monsieur.

Je n'ai rien ressenti de spécialement désagréable à la vue de mon premier chariot qui languissait d'ennui près de la caisse, si ce n'est une pointe de surprise pour ce hasard qui ne semblait pas exister. Le sac de provisions de trotte-menu s'est presque envolé au vent quand on est sortis, pourtant c'était une petite brise de rien du tout qui vous aurait à peine soulevé un cheveu.

Quand elle est entrée dans son trou de souris au sous-sol d'une maison aussi vieille qu'elle, elle serrait précieusement dans la main mon numéro de téléphone, au cas où. Je me sentais heureux de l'avoir rencontrée. Étrangement, je respirais mieux. C'était comme si elle avait été cachée quelque part depuis le tout début de ma vie et que, du fait de l'avoir découverte, je méritais une étoile dans le grand cahier. Je me suis glissé une main dans les cheveux et me suis pointé l'index sur la tempe, avant de repartir. Et j'ai songé que peut-être je lisais trop et que ce ne serait pas une méchante idée si, un de ces bons matins, j'allais à la pêche, jouer aux quilles ou patiner, enfin n'importe quoi, pourvu que ce ne soit pas lire.

***

J'ai laissé tomber mes sacs sur le plancher de la cuisine en entrant. Puis c'est dans un état d'exaltation que j'ai plongé les mains dedans, tout en lisant le papier que Julie avait laissé sur le coin de la table pour m'informer qu'elle m'avait abandonné.

À mesure que les conserves sur les tablettes s'entassaient, dans mon chandail, à en éclater, mes mamelles se gonflaient. J'aurais accaparé les réserves de la banque mondiale pour être certain qu'elle ne manque de rien, ma fille. Dieu que c'était bon de pouvoir s'inquiéter, d'avoir une bouche à nourrir, un petit cul à cajoler. J'avais l'impression de m'ouvrir comme une fleur quand je m'arrêtais une seconde pour y songer et, évidemment, elle, c'était l'abeille. De la marmelade dans le ciboulot comme ce n'est pas permis, ça me coulait des yeux et des oreilles, rien de trop beau, à enfermer je vous dis... Au début de ma paternité officielle, vers la fin de mon quart de travail, le tapis me brûlait sous les pieds. Les klaxons qui s'égosillaient tout autour me laissaient complètement indifférent, j'ignorais les doigts levés dans les fenêtres, j'étais devenu l'ennemi public numéro un. Je m'étais pris un coup d'amour, le sourire aux lèvres, plié en deux, je grimaçais comme un dément. Heureusement, j'allais beaucoup mieux maintenant. Avec l'aide de ma chère Julie, j'en étais tranquillement revenu, je souriais toujours abondamment, mais pardedans, car évidemment, ça n'aurait rien donné que j'aille me faire enfermer.

— J'aime pas ça, les affaires pleines de sauce. Ça me donne mal au cœur... ! J'aime mieux m'arranger toute seule, Papito.

— T'aimes pas ça, mon amour, que ça sente bon quand t'arrives ?

— Ça pue, ces affaires-là !

J'ai rangé le brocoli en me frappant la poitrine, et les quatre pizzas surgelées, je les ai glissées sur la tablette du congélateur avant de m'attraper un bière. La maison se dandinait doucement sur un rayon de soleil, j'ai repoussé le rideau pour m'en offrir un soupçon. Je me suis enfoncé dans le sofa.

Je repensais de temps à autre à mon tapis gris roulé dans un coin du sous-sol. Certains jours, il me manquait, ma chaise de cuir bleu aussi.

C'était comme de vieux amis que je n'avais plus revus depuis très longtemps. J'avais bien essayé de les caser un peu partout, mais ils la fichaient mal. On aurait dit qu'ils ne se sentaient pas à l'aise dans la grande maison, un peu comme un vieux chat qui aurait eu peur qu'on lui marche sur la queue. Finalement, j'avais renoncé. Ma chaise de cuir bleu avait trouvé son paradis, les filles l'avaient embarquée un beau matin sans même me demander mon avis.

Ça m'a fait tout bizarre d'être là comme ça en plein après-midi, étendu sur un sofa, avec une grande maison autour et aucun bruit dedans. J'aurais bien aimé pousser la cassette de ma vie antérieure dans le magnétoscope, juste une minute s'il vous plaît, juste un moment, je vous en prie. Je me suis contenté de suivre la course des gouttelettes qui descendaient le long de mon unique bouteille, ensuite j'ai passé un doigt sur l'étiquette, y ai appuyé la langue, mais ce n'était que de l'eau.

Malgré ce qui s'était passé, Jocelyne venait tout de même de temps à autre, surtout pour Julie, et quand bon lui chantait, et, peut-être, me répétais-je, en était-il mieux ainsi.

De la pure méchanceté, à mon avis. Du vice à l'état pur. Mais je préfère ne pas trop insister. Je l'avais bien cherché. J'avais joué, j'avais perdu. Chacune de ses visites était maintenant comme un ouragan qui ne laissait que désolation, une semaine suffisait à peine pour nettoyer les débris. Elle venait pour me détester. Et pourquoi pas ? Je la sentais pourtant encore assise entre deux chaises, me soupesant. Aussi, je ne la ramenais pas. Son simple bonjour était cadeau et, bien qu'il me donnât des frissons dans le dos, je souriais tout de même, car je comprenais qu'il était parfaitement normal de grelotter quand on avait commis l'imprudence de pisser sur le feu. Je laissais donc filer le plus calmement possible, je l'écoutais discuter avec Rosie et Julie, je ne bronchais pas quand elle refusait un café ou une bière, et, quand elle repartait dans la noirceur au lieu de venir se blottir dans ma chaleur, je lui murmurais que ça m'avait fait plaisir qu'elle soit venue. Enfin toutes ces choses que l'on fait quand on espère mieux... Quand on ne veut pas se retrouver complètement seul...

Où désirait-elle m'amener ? Quel pont voulait-elle me voir traverser ? Je n'aurais su le dire. Assis dans le noir, les yeux fermés, je préférais manier l'aiguille et le fil invisible cent fois plutôt que... Je n'avais violé personne. J'avais trompé, j'avais menti. Une belle connerie. Et je comprenais qu'il fallait maintenant en payer le prix. Alors je payais.

On aura sans doute compris que j'étais passé aux aveux. Holà ! J'allais vous mentir...

12

À peine quarante-huit heures après avoir fait l'école buissonnière en compagnie de Julie, je me suis réveillé en pleine nuit avec la tête qui voulait éclater. Dégoulinant de sueur. Une bonne grippe. Une merveille ! Je n'ai pas eu à me creuser les méninges pour comprendre où j'avais attrapé une saleté pareille. Et je me suis juré qu'on ne m'y reprendrait plus. La prochaine fois que j'aurais à conduire Julie chez le médecin, c'est dehors que je l'attendrais, quitte à me les geler. En vérité, j'aurais pu aller travailler dès le surlendemain, mais je n'en avais nulle envie. En fait, pour être honnête, c'est une toute petite grippe que j'avais chopée, mais elle tombait doucement à point.

Un creux dans le divan marquait l'endroit où j'avais passé la majeure partie des derniers jours, enroulé dans une couverture à bouffer des souvenirs, à mijoter dans mon jus, à me demander si je n'avais pas fait une erreur, si je ne m'étais pas foutu moi-même sur un tas de fumier. J'avais posé le pied sur une mauvaise pente et je ne cessais plus de me torturer. Ma belle assurance avait disparu, j'avais un peu perdu les pédales. Aussitôt mise au courant de mes déboires, Rosie était accourue avec un bol de bouillon chaud et avait déposé sur mon front un linge humide et tout l'amour du monde. La dernière chose qui me faisait envie, c'était de guérir. La deuxième dernière chose, c'était que ma vieille amie me donne son avis. Je faisais donc le mort et j'avalais ce qu'elle me donnait, me retenant d'ouvrir la bouche inutilement.

Julie, de son côté, s'était vite remise, elle était retournée à l'école dès le lendemain de notre visite chez le docteur. Je crois que la seule vue de sa boîte de pilules avait suffi à la guérir de tous ses malheurs. Elle avait laissé tout en plan dans la cuisine, et j'allais commencer à ramasser quand je me suis ravisé. J'ai plutôt glissé une tasse de bouillon dans le micro-ondes et je me suis assis devant pour la regarder tourner. Puis j'ai glissé mes pieds sous la table et déposé la tasse devant moi. Je me sentais mourir, mais ça n'avait plus rien à voir avec une quelconque maladie. Je m'ennuyais, je le savais, ce n'était que ça. J'avais envie de parler à Jocelyne, de sentir ses yeux se déposer sur les miens, je n'avais plus envie de rien d'autre dans la vie. Je regrettais. Un vieille corneille pleine de puces ne cessait de tournoyer dans ma cervelle. J'aurais tellement voulu pouvoir rebrousser chemin, avoir la chance de tout reprendre à zéro.

Jocelyne avait pleuré ce matin-là comme elle seule sait si bien le faire. Je me tenais pas très loin derrière elle. Puis entre deux sanglots, une superbe claque. Et tout juste le temps de bloquer son bras pour éviter la deuxième, que ça ne devienne pas une habitude. Une seconde plus tard, elle me quittait en rage, ne voulant pas demeurer un instant de plus avec le salaud que j'étais devenu. Et elle venait moins souvent depuis. Pour ne pas dire rarement, comme je l'ai déjà mentionné. Quand elle était revenue la première fois après cette scène, c'était pour comprendre le pourquoi et le quand. C'est comme ça que j'ai fini par recevoir la deuxième claque. Pas pour le pourquoi, mais pour le quand. Et ça m'avait laissé pour tout dire assez penaud. Existe-t-il un moment idéal pour tromper sa blonde ? Quand elle faisait un saut à la maison maintenant, elle montait presque toujours directement chez Julie et, si elle s'arrêtait un instant pour me regarder, je refusais tout de même de baisser les yeux.

Malgré l'étrangeté de la chose, tout emmailloté dans ma détresse, je me sentais libéré. Ce n'était tout de même pas la joie, on songerait plutôt à un type ayant échappé de justesse à un coup de grisou, recroquevillé au fond d'une mine, attendant les secours. Pour respirer, je devais me concentrer. De longs moments se passaient sans qu'une seule goutte d'air parvienne à mes poumons. Pour pouvoir garder un secret, je le comprenais maintenant, il ne fallait pas en avoir, enfin pas un secret de cette nature. La vie finit toujours par s'ébrouer, essayant par tous les moyens de se décharger d'un fardeau trop lourd. Je m'étais fait salement coincer, comme un rat. Je vivais à la seconde, un peu de joie, un peu de peine, un peu de Julie, un peu de Rosie, beaucoup de sofa, une bière aussi, s'il mouille il mouillera et s'il neige il neigera, enfin... Mais ça ne fonctionnait pas. Encore aujourd'hui, ça me rend triste de repenser à cette journée, cette journée où elle a tout appris. Un moment comme il ne devrait jamais en exister.

Je me suis levé, j'ai tourné autour de la table, me suis planté en plein soleil. C'était étrange de nous savoir si loin l'un de l'autre, je voyais bien maintenant que nous avions été deux. J'ai eu envie de l'appeler pour le lui dire. J'avais toujours souffert d'avoir autant besoin d'elle, mais ça n'avait jamais été aussi douloureux qu'en cet instant. On aurait dit que tous les efforts des dernières semaines étaient finalement venus à bout de mon énergie, que la branche à laquelle je m'accrochais s'était soudainement brisée.

La grande porte, je n'y pensais même plus. Un petit trou de la grandeur du chas d'une aiguille m'aurait suffi, un rayon de lumière que j'aurais pu longer pour aller m'alanguir sur son cœur. Je voulais bien courber l'échine et assumer mon rôle de salaud le temps nécessaire, mais ramper, je n'avais jamais su et ne voyais pas ce que ça pouvait rapporter. Je demandais juste qu'elle tienne compte des circonstances, de ma tête, de mon cœur, de mon sang et du reste, excusez si je vis, ainsi soit-il. J'ai redéposé le téléphone. Je ne savais plus... Ma main tremblait. Ce n'était vraiment pas la peine. J'ai baissé les yeux en repensant à ce pitoyable matin.

***

Un gifle, un claquement de porte et tout le reste... Un cauchemar. Tout le contraire de ce que j'avais imaginé en tirant les rideaux pendant que le soleil bondissait dans la chambre, rendant ses yeux bleus aussi scintillants que des diamants dans un écrin. Dieu qu'elle était belle ! Son ventre chaud, une avalanche de mots doux, ses cuisses amoureuses, ses longs doigts dans mes cheveux, des murmures, sa bouche qui me retient, m'avale, me dévore. Seigneur Dieu ! La bouche de ma Jo ! Et toujours ce soleil qui chantonne, qui s'amuse avec nous, qui nous roule, nous embrasse, et nous fait presque l'amour. L'amour à trois, avec le soleil... Je l'avais rendue heureuse comme jamais, ses coups de hanche m'avaient presque jeté en bas du lit, mais j'avais tenu bon. Et longtemps encore, jusqu'à ce moment bref et étrange où j'arrivais à aimer, ce seul moment de ma vie où je me sentais apaisé. J'aimais ses yeux remplis de tendresse, ils me donnaient l'impression d'être beau, et l'envie de le devenir encore plus.

— Un bon café, ma Jo ?

Après avoir mangé en louchant comme des voyous, on avait traînassé en écoutant de la musique, je lui avais grignoté une lèvre ou deux encore un peu, j'avais glissé mes doigts dans ses cheveux, embrassé ses yeux. Toute une histoire pour nous habiller, nos mains partout, et mon machin qui refusait de rentrer dans sa niche. On avait décidé de se faire une belle journée, un conte de fées, un cadeau, comme ça, sans se compliquer la vie inutilement, juste à traînailler dans les magasins, à s'offrir une bière ou deux, et tout ce qu'on voudra qui fait de la vie un paradis, quand on le fait à deux. J'avais tenu la porte, m'étais courbé bien bas, puis on s'était arrêtés une seconde sur le balcon pour se laisser imprégner par le bonheur. Je la tenais comme on tient à sa vie, j'entendais son cœur ronronner, ses yeux dansaient sur un rayon de soleil, au fond de mon âme je remerciais le ciel. Mais voilà ! La seconde suivante, sans crier gare, le traître me tombait sur la tête.

— Dis-moi que je rêve, avait dit la Jo !

Je n'étais déjà plus en état de répondre, je crois bien que j'avais déjà commencé à prier.

Juchée sur ses talons hauts, un bout de tissu lui recouvrant à peine l'essentiel, elle serrait autour de son cou les pans d'un manteau de cuir noir qui lui arrivait à peine à la taille, et avançait comme sur des œufs. Louise était devenue blonde. Elle avait failli s'étaler devant nous, mais s'était rattrapée miraculeusement à la dernière seconde, au moment où j'ajustais mon foulard, car il m'avait semblé que le fond de l'air s'était soudainement refroidi.

— Bonjour, Louise ! Quel bon vent t'amène ?

Et n'ayant pas le choix, je l'avais invitée à entrer. Jocelyne lui avait peut-être abandonné une molécule de peau, une fraction de seconde, mais je ne saurais dire si leurs joues s'étaient réellement touchées. De mon côté, j'étais demeuré à une distance raisonnable, me contentant de la saluer de la main.

— Je te prépare un café ?

— Si ça cause pas de problème, elle avait mentionné.

— Et toi, ma Jo ?

— Pas la peine, ça me sort par les oreilles.

Comment allait Julie, comment ça se passait à l'école, maudit hiver, si ça peut finir, et tout ce qu'on voudra... Des paroles inutiles. Et plus encore, la scélérate ! Je plissais les yeux abondamment, autant que faire se peut. Qu'était-elle venue fabriquer ici ? Qu'allait-elle encore inventer ? J'avais hâte qu'elle reprenne le chemin par lequel elle était venue. Baboum ! Baboum ! Les secondes s'écrasaient sur la table. La Jo m'avait abandonné. Elle flottait dans sa bulle, le menton appuyé dans ses paumes, et même si elle était bien là, accoudée à la table, on devinait facilement que c'est d'en-haut, allongée sur un nuage, qu'elle observait la scène. En désespoir de cause, j'étais revenu vers Louise.

— Et tes amours ? j'avais lancé.

— Kapout !

— Eh ben !

Pour dire quelque chose, et le regrettant déjà. Aussi crétin qu'il est possible de l'être. Un sourire énigmatique se dandinait sur ses lèvres. Ses longs doigts bagués entouraient la tasse. Je la connaissais trop bien pour ne pas sentir l'orage, juste à sa façon de bouger, je savais qu'elle en avait gros sur le cœur. On aurait pu croire à un animal blessé qui, pour oublier sa souffrance, se cherche un ennemi à éventrer. Elle s'était levée, avait fait quelques pas, ses ongles rouges brillaient dans sa chevelure jaune et, comme j'allais reprendre le crachoir, elle s'était retournée d'un geste vif en me pointant d'un doigt accusateur :

— Y a pas un hostie d'homme fidèle sur toute la planète ! Vous autres, ça fait combien de temps que vous êtes ensemble, déjà ?

— Douze ans... j'avais répondu.

— Ça fait si longtemps, mon Dieu, que le temps passe vite ! C'est étonnant... Douze ans que t'es parti en me laissant toute seule avec Julie.

— Écoute, Louise, me semble que c'est pas le moment... Si t'as vraiment envie qu'on en parle encore...

— J'en parle quand je veux ! C'est pas vous autres qui allez me dire quand je dois parler ou pas !

En fixant la Jo, cette fois, comme si elle avait voulu lui mettre une balle entre les deux yeux. Je n'aurais su dire si nous étions au cœur de la tempête ou juste avant. Elles se fusillaient maintenant, je voyais des tonnes de cartouches sortir des yeux de l'une pour aller s'engouffrer dans ceux de l'autre, et il m'a semblé que ça commençait à ressembler à l'éternité.

— J'imagine que t'es certaine qu'il ne t'a jamais trompée !

Pas un son, pas un mot.

J'ai regardé Louise pendant un long moment, je savais qu'elle était malheureuse, je pouvais lire des tas de choses dans ses yeux. Mais je ne comprenais pas pourquoi elle faisait cela. Je la savais capable de bien des prouesses, mais pas de celle-là.

— Vaudrait mieux que tu partes, Louise, franchement, ça n'a pas d'allure...

J'avais parlé tout seul évidemment. Un fantôme muet n'aurait pas fait mieux.

— S'il m'avait trompé, il me l'aurait dit. Au lieu de tourner autour du pot, Louise, accouche donc, qu'on baptise !

— Je parlais comme ça, tu dois être la chanceuse qui a attrapé le gros lot. En tout cas, moi, il me trompait, et je ne me souviens pas qu'il soit venu me le raconter, mais tout le monde peut changer... Pourquoi pas lui, hein ?

Sitôt la porte refermée, je m'étais tourné vers ma chum. Cherchant son regard. Ne sachant plus très bien à quoi me raccrocher. Je me sentais prisonnier d'un manège devenu incontrôlable, à la vitesse qu'il atteignait maintenant, je pouvais à peine respirer.

— Dis-moi que c'est pas vrai... Jure-le-moi ! Tout de suite ! Maintenant !

— Je voudrais qu'on s'assoie, Jocelyne.

— Jure-le-moi sur la tête de Julie !

— Je peux pas faire ça, malheureusement.

***

J'avais récolté ce que j'avais toujours désiré : vivre avec ma gueule, comme j'aimais tant à le répéter. Un creux dans un sofa, un bouillon tiède et toute la vie pour y repenser. Je n'en voulais à personne, pas même à Louise, et encore moins à ma Jo. Elles avaient eu raison toutes les deux. J'avais trompé l'une, et la vie avait trompé l'autre.

Je savais maintenant pourquoi Louise avait pété les plombs et, si ça ne m'arrangeait pas pour autant, du moins je crois que je pouvais la comprendre. Il m'était facile d'imaginer la peine qu'elle avait ressentie quand Julie avait refusé de retourner vivre avec elle, je n'avais qu'à songer à ce qu'aurait été la mienne dans le même cas. Dieu seul sait ce qui serait arrivé, sur qui ou quoi j'aurais eu envie de frapper. Aussi bien que Louise se soit défoulée sur moi. Peut-être même m'avait-elle rendu service. Je ne pouvais m'en prendre qu'à moi seul, elle ne m'avait pas violé, que je sache. Ce qui m'attristait le plus, et presque autant que la perte de ma Jo, c'est que Julie savait maintenant que j'étais un menteur et un tricheur. Le temps, bien sûr, arrangerait les choses, mais c'est beaucoup demander au temps que d'effacer toutes nos conneries.

Je me suis calé un oreiller sous la tête, j'ai étiré les jambes et j'ai regardé mon ventre qui montait et descendait, mais je n'arrivais pas à me sentir vraiment laid et tout, c'était par-dedans, comme toujours, évidemment. Le cirque semblait vouloir s'arrêter maintenant. J'avais du temps devant moi, j'ai déposé ma tasse vide sur le plancher et j'ai tiré la couverture au-dessus de ma tête. J'étais fatigué de penser. Je me sentais tout petit, comme un enfant, et me suis demandé si on ne le restait pas toute sa vie et si, au fond, on n'apprenait pas juste à faire semblant. Puis j'ai fermé les yeux en m'écoutant respirer, bien au chaud dans la cabane rassurante que faisait la couverture tirée sur le dessus de ma tête. C'était agréable, et je me suis forcé à ne penser à rien. Ça allait tout bien, j'y étais presque, quand j'ai soudain songé que penser à rien, c'était encore penser à quelque chose... mais j'ai vite chassé cette idée et me suis remis à ne penser à rien...

Quand j'ai refait surface un peu plus tard, complètement déboussolé, il m'a semblé que j'avais rêvé. Un drôle de rêve, à vrai dire, sans image, meublé seulement de bruits. Et ça m'a paru étrange, car jamais auparavant je n'avais rêvé de bruits. Puis je les ai entendus à nouveau. Et du même coup, j'ai réalisé que, pour une rare fois dans ma vie, j'avais dormi l'après-midi. La maison baignait dans la pénombre, la noirceur s'était appuyée aux fenêtres, et je n'en revenais pas. Je me suis massé les oreilles, lissé les poils et je me suis assis sur le bout du divan, les coudes sur les genoux. Je n'avais pas rêvé, j'entendais distinctement maintenant des bruits provenant du devant de la maison. D'une certaine façon, je me sentais presque revigoré. Mais n'étais pas certain d'apprécier pour autant. Le roupillon l'après-midi et les pantoufles en minou, très peu pour moi, et merci beaucoup. M'étais-je laissé emporter par une fatigue passagère ou avais-je définitivement perdu ma maîtrise ? Je me préparais à me le demander quand les bruits ont repris dehors.

Grimpé sur le dossier, une main en visière, j'ai photographié le gars qui menait tout ce boucan. Puis, tout en ajustant mon chandail dans mon pantalon, je suis sorti en plissant les yeux.

— Eh ! mais qu'est ce que... ?

Tout en continuant à taper comme un forcené sur un bout de tuyau soutenant une affiche fluorescente, le type m'a expliqué qu'entre les mains de cette agence-là les choses n'allaient sûrement pas traîner.

— Vraiment, ils sont efficaces, ils sont super. Vous pouvez la considérer comme vendue. Je vous le jure, m'enfonçait-il à coups de masse, en même temps que sa maudite affiche.

Je me suis glissé une main dans les cheveux jusque derrière la tête et ensuite j'ai recommencé. Quand le gars s'est arrêté, qu'il m'a regardé, se demandant probablement si j'allais l'observer encore longtemps comme ça, je me suis décidé à lui foutre la paix. De toute façon, il devait bien faire dans les deux cents livres et je venais tout juste de me réveiller. Fallait que j'en glisse un mot à Rosie.

Je me suis retourné encore deux ou trois fois chemin faisant, et toujours l'affiche brillait, me narguant, me bombardant des courants vicieux dans le cerveau. On m'avait enlevé ma Jo, Louise avait tenté de reprendre Julie et, maintenant, on voulait m'enlever ma maison... Je ne voyais que ça, imprimé en grosses lettres dans mon cerveau. J'ai fait encore quelques pas. Je me suis arrêté. J'ai relevé la tête, je me suis tourné à nouveau vers l'affiche. Je suis revenu sur mes pas. J'ai traversé la rue et je me suis planté en face de la maison, les mains dans les poches.

Quelque chose s'était brisé. Ça gambergeait affreusement dans ma tête, ça allait et venait, une masse sombre avait pris place dans mon ventre et menaçait de m'engloutir. Un ressentiment, une généreuse angoisse, l'impression de me sentir coincé sans pouvoir me défendre, sans ennemi apparent, personne à qui m'en prendre, deux poings inutiles enfouis au fond de mes poches. Quand je me suis rendu compte que mon dos s'était arrondi, que mon menton reposait sur ma poitrine, je me suis redressé d'un coup sec et j'ai lancé mon regard vers le ciel.

— Vous ne m'aurez pas ! j'ai lancé à voix haute.

— Vous m'avez parlé ? a questionné le type qui avait installé l'affiche.

— Je parlais pas à vous, j'ai dit.

Il a laissé planer un moment son regard sur les alentours, puis il a sifflé entre ses dents avant de monter dans son camion.

— Bonne journée, il a dit.

— Pas si sûr, j'ai murmuré, avant de me diriger chez Rosie.

Julie était déjà à table. Je lui ai fait la bise. Et à Rosie aussi, avant de prendre place à mon tour. J'avais gardé mes mains entre mes cuisses. Malgré le poêle à bois que j'entendais ronronner, j'avais froid partout.

— T'as pas l'air de filer !

— Un type vient juste de planter une affiche « à vendre » devant la maison...

— On va déménager, papa ?

— Non, Julie, on ne déménagera pas !

— Mais si quelqu'un achète la maison...

— Non, Julie, on ne déménagera pas !

J'ai repoussé l'assiette que Rosie s'apprêtait à glisser devant moi et me suis étiré les pieds sous la table en la suivant du regard. Puis l'instant d'après, je me relevais, quelque chose m'avait attiré, comme une flamme suspecte, aurait-on dit, qui s'était échappée de l'œil de ma vieille amie. Je me suis approché d'elle.

— Juste une bière, Rosie, j'ai dit. Il y a quelque chose qui ne va pas ? j'ai rajouté, inquiet.

— Faut que tu manges.

— Qu'est-ce qui ne va pas, Rosie ? j'ai demandé à nouveau.

— Rien, elle m'a répondu, en m'indiquant Julie du bout du menton. Faut que tu manges, elle a répété en me tournant le dos.

J'avais deviné quelque chose et elle le savait. Sa peine comme celle de Julie étaient des choses qui ne pouvaient m'échapper.

— Faut que tu manges, elle a répété encore une fois, comme si c'étaient les seuls mots qu'elle connaissait.

— Faut toujours quelque chose, je sais bien, mais là je veux juste une bière. Je t'en prie, Rosie.

— Comme tu veux.

— Comme je veux, ce serait merveilleux, j'ai maugréé. Ne me raconte pas d'histoires, je t'en prie !

Elle m'a glissé un main dans les cheveux en déposant la bière devant moi. Et encore une fois, elle m'a indiqué Julie.

Je me sentais abîmé, fatigué, accablé par le poids de la vie, une momie enroulée dans un linceul de tristesse. La deuxième bière, je suis allé la chercher moi-même, je l'ai débouchée en me laissant choir sur une chaise devant le poêle à bois. Après la vaisselle, Julie s'est moulée dans le flanc de sa grand-mère. Le feu crépitait, le silence dansait au rythme des flammes mais, quand la Jul s'est levée, j'ai tout de suite compris qu'elle allait nous l'assassiner, ce silence. Elle s'est effectivement dirigée vers la télé. Le type devait attendre son heure depuis un bon moment, car à peine avait-elle effleuré le bouton qu'il m'a regardé droit dans les yeux :

— Je savais que tu viendrais, il a vociféré, avant de s'éclater d'un gros rire gluant.

Il était armé jusqu'aux dents.

Je me suis levé de ma chaise, froid comme de l'acier et, sans me préoccuper de lui, j'ai pris le chemin des toilettes.

Le type de la télé baignait dans le jus de tomate quand je l'ai revu, et ça ne m'a fait ni chaud ni froid. Il portait un complet gris, une cravate bleue, des souliers de curé, il tentait désespérément d'arracher le poignard qu'on lui avait fiché dans le cœur, il saignait abondamment... Mais, je vous le répète, ça ne me faisait ni chaud ni froid...

Puis j'ai composé le numéro de Jocelyne sans réfléchir. Pendant que j'attendais, une blonde avec de grosses babines en feu a pris la place du type, sa poitrine accaparait tout le soleil de la planète. En s'arrachant du sable blond, elle a profité de quelques grains perdus pour nous montrer la raie de son cul et, pendant qu'elle chaloupait enfin d'une mer à l'autre, une belle voix chaude nous a affirmé que pour deux sous, payables pendant cent ans, on pouvait acheter le tout. Après dix coups de sonnerie, j'ai reposé le combiné. Je détestais quand elle n'était pas là et se trimballait là où je n'étais pas. C'est petit, je sais.

Julie se tortillait une mèche entre les seins de Rosie, je n'ai pas eu à parlementer longtemps pour la convaincre d'y passer la nuit. Deux salopes, je vous dis.

— Je vais en ville, j'ai murmuré.

— Sois prudent, dit Rosie en se levant pour venir barrer la porte derrière mon dos.

— Je t'aime, Papito !

— Moi aussi, ma belle folle !

— Qu'est-ce qui te tracasse, Rosie ? j'ai demandé une fois dans le porche, à l'abri des oreilles de Julie.

— Mon fils veut vendre ma maison...

— Ben voyons, Rosie ! Je ne te crois pas !

— On en reparlera... C'est une longue histoire, elle a murmuré, un doigt sur ses lèvres. Demain si tu veux...

La lune dégoulinait le long de l'affiche. Je suis demeuré planté devant, l'âme aussi triste que celle d'un enfant à qui le père Noël venait de mettre son poing dans la gueule. Je me suis demandé si je n'allais pas me mettre à crier. Je ne me sentais pas bien du tout. J'ai visé la photo du gars dans le coin gauche et je lui ai foutu mon pied dans la figure. Après un demi-tour sur lui-même, il a ramené sa bouille, il souriait toujours, mais il lui manquait deux dents. J'ai remis ça en ressortant avec les clés de l'auto à la main, c'est à peine si le type ne m'a pas rigolé dans la face.

S'enfoncer dans la noirceur, bien calé derrière le volant, se sentir ignoré, se laisser emporter en succombant à l'envie de s'envoler, je me suis rendu compte que j'avais oublié à quel point ça pouvait être agréable. J'ai ralenti pour faire durer le plaisir. La chaufferette donnait généreusement. L'air chaud entrait par le bas de mon pantalon et montait le long de mes cuisses. La lumière des réverbères coulait en cascade sur le pare-brise, je pouvais la voir éclabousser les autos qui suivaient dans la glace arrière. Je me sentais hypnotisé, presque mieux. J'ai continué un bon moment en faisant semblant de ne pas savoir où j'allais. À gauche, à droite, une rue et encore une autre, histoire de me faire accroire que je n'allais nulle part. Ça sentait bon la ville quand je suis descendu. Un chien est passé sans se préoccuper, puis brusquement il s'est retourné, a fait quelques pas, s'est arrêté près de l'auto et a pissé dessus.

— Tu t'en fais pas, mon vieux !

De la lumière filtrait de la fenêtre de Jocelyne. J'ai remonté le collet de mon blouson, me suis planté une cheminée au coin des lèvres. L'aile de la Honda a grincé quand je me suis assis dessus.

Chercher de la chaleur, un peu d'amour, parler, retrouver ma blonde comme dans le temps d'avant, un peu tout ça, j'imagine, ou simplement l'attacher, la violer, pour lui montrer qu'elle ne s'était pas trompée et que j'étais bien un salaud et rien d'autre. Pour tout dire, je ne comprenais pas très bien ce que j'étais venu faire là.

J'ai replacé l'aile de ma voiture avant de traverser la rue. Mais, une fois de l'autre côté, je n'ai pas pu... Un gars de la taille d'un géant est arrivé, je me suis senti comme un voleur.

— Je ne trouve plus mes clés, j'ai dit, en levant les épaules.

Le gars m'a souri et m'a tenu la porte un instant avant de s'élancer dans l'escalier. Puis je suis monté à mon tour. J'ai longé le couloir, peu rassuré, je me suis demandé encore une fois s'il ne valait pas mieux laisser tomber... Aucun bruit, rien. J'ai fait encore quelques pas, le dos courbé, l'oreille en pavillon. Pas un son, si ce n'est celui de mon cœur qui grognait dans ma poitrine.

Qu'il m'appartienne de pouvoir la donner à qui bon me semble, de la posséder jusqu'à la dernière molécule, d'en faire ma chose, de la rouler dans la merde si j'en avais envie, de la découper en morceaux, de l'obliger à se plier à mes moindres caprices, de l'entendre supplier, de la voir pleurer, de lui lézarder la peau à coups de fouet. Elle est à moi, à moi, juste à moi ! Pour sûr que j'y songeais souvent. Je me soignais. Depuis toujours, je me soignais. Mais ça revenait toujours aussi.

Je n'aimais plus du tout ce que j'étais en train de faire. Une odeur filtrait du collet de mon blouson. Je puais. Je me suis avancé d'un pas ou deux, je respirais mal, j'étais maintenant à quelques pieds de sa porte. L'air se coinçait au seuil de ma gorge, j'ai dû me concentrer un bon moment avant que ma poitrine ne consente à se regonfler, des gouttes de sueur sont apparues sur mon front et je n'ai plus été capable de bouger.

Un peu de lumière se trémoussait devant sa porte. Des bruits feutrés s'échappaient des appartements autour, puis tout redevenait silencieux. Je n'osais ni avancer ni reculer, la laideur souillait mon cœur, je le sentais se tordre en silence comme un animal blessé. Plus une goutte d'amour ne m'habitait. J'ai fait encore un pas, puis deux, traînant ma haine comme un boulet. Et je me suis appuyé contre sa porte. Je n'osais plus bouger, mon front dégoulinait, le bruit des gouttes atteignant le tapis devenait assourdissant. Mon cœur martelait mes tempes, je n'entendais plus que lui. Je suis demeuré là longtemps, je pense. Je ne saurais vraiment dire. Peut-être que cela a duré une minute longue comme l'éternité, ou peut-être aussi juste une seconde, je ne sais pas...

Puis c'est arrivé. Une voix d'homme... des rires...

En traversant la rue, j'ai croisé le chien à nouveau. Il s'est arrêté un instant, j'ai fait de même...

— T'avais raison de me pisser dessus, j'ai dit !

13

D'une tristesse sans nom. C'était plus que ce que l'on peut imaginer qu'un cerveau humain puisse inventer comme méchanceté. Pourtant c'était vrai. Rosie m'avait tout raconté. Une semaine exactement après avoir planté la pancarte « à vendre » devant notre maison, le même type était revenu et en avait fiché une autre dans la terre, bien solide bien salope, juste devant la porte-fenêtre de Rosie. Elle pouvait ainsi la voir battre au vent toute la sainte journée et sentir son chagrin augmenter.

Ainsi en avait décidé le fils qui, malgré les promesses faites à son père, s'arrogeait aujourd'hui le droit de vendre la maison familiale. L'affaire avait en son temps été discutée, bien comprise et signée noir sur blanc. Il s'agissait tout simplement de ne jamais greffer de dettes sur la maison et de laisser Rosie l'habiter jusqu'à son dernier souffle. Mais voilà, quand l'innocent avait annoncé à Rosie qu'il se débarrassait de la maison maintenant hypothéquée au maximum, le document avait disparu, enfin la copie de Rosie, celle qu'elle avait toujours gardée dans un coffret au fond de sa penderie. Bien entendu, le fils niait, une main sur le cœur, avoir jamais eu connaissance d'une telle entente. Apparemment, vu son grand âge, ma belle Rosie s'imaginait des choses. Une belle saloperie, si vous voulez mon avis.

Rosie m'attendait. Je suis monté en vitesse, je voulais m'assurer que Julie n'allait pas rester couchée toute la journée et de tenir ensuite la dragée haute jusqu'au petites heures du matin.

— Allez, ma chérie, Rosie m'attend. Niaise pas, Julie, lève-toi...

— Où tu vas ?

— Je te l'ai dit hier... Chez le notaire pour la maison de grand-mère.

— Est-ce qu'elle va la perdre ?

— Je ne sais pas, Julie, c'est pour ça qu'on va là-bas. Allez, lève-toi !

En sortant, j'ai jeté un coup d'œil sur les quatre cordes de bois qui s'empilaient dans l'entrée depuis deux semaines. La neige maintenant les recouvrait complètement. Tous les jours je me répétais que j'allais m'y mettre, mais le courage me manquait chaque fois.

Je n'ai pas eu à attendre, Rosie, le manteau sur le dos, piétinait déjà dans l'encadrement de sa porte. Elle gardait une fière allure malgré ce qui lui arrivait. Encore la veille, elle avait tenté de m'expliquer, mais je n'arrivais toujours pas à voir les choses à sa façon. Cette poubelle dans laquelle son fils tentait de la jeter, cette main qui appuyait sur son cou, mon regard ne parvenait pas à s'en détacher. Comment faisait-elle pour sourire encore ? Cela m'était un mystère, l'autre, j'avais juste envie de le tuer.

— Ça va, Rosie ?

— Saudit papier ! Je croyais pourtant être certaine de l'avoir bien rangé.

— Ben voyons, Rosie, tu sais bien... !

— Peut-être que le notaire...

Ensuite on s'est tranquillement taillé une route sans prononcer une parole. Elle regardait droit devant, mille occasions lui filaient sous le nez, c'était franchement inquiétant de voir ma vieille amie se mêler uniquement de ses affaires. Aucune remarque, aucune allusion à Jocelyne, rien, ça me mettait à vrai dire mal à l'aise. Je lui ai tapoté la cuisse pour la réveiller. Elle m'a souri.

— T'as eu des nouvelles de Jocelyne ?

— Non, rien, pas un mot.

— Tu parles d'une idée, aussi, d'aller lui fermer la ligne au nez un soir de Noël ! Juste à minuit en plus !

— Trois fois, Rosie... Je l'avais appelée trois fois dans l'après-midi. À quatre pattes, comme le derniers des téteux, tu comprends, il y a quand même un maudit bout, non ?

Juste à y repenser, j'avais envie de l'égorger, la Jo. Des niaiseries comme c'est pas permis. Une maudite arrogante, une saudite tête pleine de pus.

— Tu penses que, parce que c'est Noël, tout va être oublié comme ça ! Ben, imagine-toi que j'ai passé l'âge, chose !

— Je ne te demande pas d'oublier, Jocelyne, juste de venir manger un bout de dinde avec nous, sacrament !

— Tu n'as qu'à inviter ta Louise, si tu t'ennuies tant !

— Tabarnouche, ma Jo, même dans les prisons...

— M'en fous !

Et après, ça rappelle à minuit, ça veut faire sa fine, souhaiter un beau Joyeux Noël... Clic ! Fermé, le téléphone !

— Tu me croiras peut-être pas, Rosie, mais, si elle revenait maintenant, j'en voudrais juste même pas... C'est fini, fini, fini, un point, c'est tout !

— Je le croirai quand je le verrai, je vous connais trop. Ç'a toujours été comme ça... Attention, tu vas passer tout droit !

— C'est là ?

— Oui, la porte verte, elle a dit.

Le notaire, qui ressemblait à un notaire, ne se souvenait d'aucun document et encore moins que Gérard, le défunt de Rosie, lui ait jamais raconté quoi que ce soit à propos de ses intentions. Et, s'il trouvait que c'était une bien triste histoire, on s'est rapidement aperçus qu'il en avait vu d'autres, des meilleures et des pires, et qu'il n'allait pas en faire une maladie.

J'avais de la peine pour elle, je ne savais plus quoi inventer, j'ai cherché un moyen de la consoler. Les mains accrochées au volant, j'ai fait l'inventaire, fouillé ma caboche, mon cœur et mes poches, puis j'ai repris la route. Qu'est-ce que j'aurais pu faire d'autre ? Un peu plus loin, je me suis arrêté devant un dépanneur.

— As-tu besoin de quelque chose, ma belle Rosie ?

— Oui, de ma maison, elle a dit.

Quand je suis ressorti les bras chargés, elle n'avait pas bougé d'un poil. Le menton enfoncé dans le col de son manteau, elle pleurait peut-être, enfin je crois. Je me suis approché sans faire de bruit, et j'ai ouvert la portière de son côté.

— C'est pas une maison, mais c'est mieux que rien... C'est pour toi, ma belle amie.

Il y en avait tout un bouquet, j'avais raflé toute les fleurs du dépanneur pour la belle Rosie, si chère à mon cœur.

— Si tu savais à quel point je t'aime, Rosie.

Elle m'a souri.

— Ce n'est pas en donnant des fleurs à une vieille comme moi que tu vas arranger ton cas. C'est à Jocelyne que t'aurais dû offrir ça.

— Parle-moi plus d'elle, Rosie, c'est toi que j'aime.

Elle regardait ses fleurs et ne pleurait plus. J'en ai profité pour filer. Tout doux et sans trop me questionner. J'ai roulé. J'avais hâte d'arriver chez moi, de m'écraser au fond du divan, avec un livre et un café, et surtout de bougonner.

Au premier coup d'œil, je l'ai tout de suite repérée. Faut croire que ce n'était pas ma journée. Son auto bloquait l'entrée. Je me suis reculé pour laisser descendre Rosie, avant d'enfiler la Honda le long de la rue près des cèdres, où la charrue avait accumulé de la neige. Rosie m'attendait dans l'allée en serrant le collet de son manteau au ras de son cou.

— Je t'avais bien dit !

— J'ai pas envie de la voir, Rosie, ai-je répondu à voix basse.

— Fais un effort !

— Non, Rosie, elle me fait chier !

— Franchement !

J'avais besoin de me dépenser, de me gaspiller, si possible de m'éparpiller aux quatre coins de la planète. J'imagine que j'aurais dû lui sauter dans les bras, lui dire combien j'étais content qu'elle soit là, mais je ne le sentais pas, je sentais plutôt le contraire. Je suis demeuré planté en bas de l'escalier sans rien dire.

— Tu ne m'embrasses pas ?

— Nan... Écoute, Jocelyne...

— Je te présente Philippe. Tu sais je t'en ai déjà parlé, il travaille avec moi. On est venus pour une réunion au CLSC du coin. J'ai eu envie de voir Julie.

Sans trop savoir pourquoi, j'ai eu l'impression que des vautours volaient en cercle autour de notre maison. Le type près d'elle, je savais qui c'était. Je lui ai tout de même vaguement souri, question de le contrarier un peu. Son visage l'enserrait de partout, un boucle pendait à son oreille, on aurait dit qu'il manquait de peau, qu'il n'en avait pas suffisamment pour se contenir. Le regard qu'il m'a offert n'aurait su mentir, je me suis demandé ce que la Jo était allée lui raconter.

— Vous m'excuserez, les bûches me réclament, ai-je clôturé.

J'ai compris, en m'approchant du tas, qu'il avait immensément rapetissé. Comparé à ma montagne de doutes, il m'est apparu bien chétif, le pauvre. Les premières victimes me firent l'effet de plumes que je soufflais et qui s'en allaient vers le garage voltigeant comme feuilles au vent. D'autres suivirent à une cadence de forçat et quand la dernière près des autres s'est entassée, j'ai eu l'impression de n'avoir arraché qu'une seule brindille sur le sentier qu'il me restait tout entier à défricher avant d'atteindre la montagne à abattre. Je me suis planté les mains dans les hanches, j'ai gonflé ma poitrine. Puis j'ai entendu la porte couiner. J'ai détourné le regard.

— T'as pas amené ta copine ? Je suis certain qu'un peu d'air...

— Pourquoi t'es comme ça ?

— Je suis comme je suis, Jocelyne ! Laisse-moi travailler !

— Peut-être que je n'aurais pas dû l'amener ici...

— Peut-être que t'aurais dû venir à Noël aussi, mais avec des peut-être, on va pas loin ! Et si tu veux savoir ce que je pense de ton crétin, t'auras qu'à regarder avant de tirer la chasse d'eau demain matin.

À vrai dire je ne pensais pas grand-chose de ce Philippe. Sauf qu'on aurait pu s'en passer.

— Tu vois, j'ai dit, d'ici peu je suis certain qu'on pourra louer des types comme lui dans des agences, pour agrémenter les soupers de famille, ou pour les vacances.

Elle n'a pas pu s'empêcher de rire et ça m'a fait sourire aussi.

— T'es con pas à peu près !

— Tu verras, j'ai dit... On pourra même les décorer à sa guise...

Elle avait ramassé un copeau et le tournait dans sa main. J'ai donné quelques coups de râteau sans dire un mot, puis j'ai levé les yeux quand le copeau s'est fracassé sur le mur du voisin.

— T'en veux un autre, ai-je demandé ?

— Pour le moment, ça va aller, elle a fait.

— Alors, ramène ton machin où tu l'as trouvé, et laisse-moi tranquille !

Quand elle m'a tourné le dos, j'ai vu qu'elle m'y avait écrit un message : un seul de ses cinq doigts pointait vers ma gueule, je n'ai eu aucun problème à déchiffrer... Elle était déjà sur le perron, elle allait s'engouffrer à l'intérieur, quand, au dernier instant, elle s'est retournée. Elle s'est contentée de me lorgner et ne m'a rien dit. Je l'ai regardée entrer. Je me suis passé une mitaine sous le nez. C'était plus ou moins. Il y avait réellement de choses qui n'avaient pas tellement d'importance auparavant, mais qui maintenant semblaient vouloir nous séparer irrémédiablement que plus rien ne me surprenait. Jocelyne avait sa vie, j'avais la mienne. Ça ne datait pas d'aujourd'hui.

Je n'aimais pas les gens qui l'entouraient, et encore moins ceux qui, comme celui-là, trifouillaient dans la tête des gens en gigotant de la patte et en papillonnant des ailes. J'avais mes raisons. En fait, c'était le dernier des sujets à aborder avec elle si j'avais l'intention de me la serrer sur le cœur, mais le sujet tout désigné si j'escomptais l'éloigner. J'aurais tout de même préféré qu'elle penche un peu plus de mon côté, qu'elle se tienne loin de ces gazelles guérisseuses. Sinon pour les pilules qu'ils fourguaient à pleins camions et qui transformaient mes inquiets en sacs à merde, je ne voyais vraiment pas à quoi ces types auraient pu servir. Aussi, les maintenais-je à distance, autant que faire se peut, est-il besoin de le mentionner.

— Coudon, ma Jo, leur brisez-vous les poignets, ou vous arrivent-ils comme ça ?

Depuis que j'avais campé devant sa porte, sous des apparences plutôt calmes, je n'étais plus qu'un étang trouble dont les fonds remontaient sans cesse. Quand on cherche, on trouve et, faute de trouver, on peut toujours inventer, se raconter de sombres histoires. J'arrivais quelquefois à la haïr avec une conscience tranquille, mais plus souvent qu'autrement cet exercice m'épuisait, c'était constamment à recommencer. Tout ça me tuait, mais malgré tout j'y tenais. Si je ne l'avais autant désirée, sûrement que j'aurais pu l'égorger. Elle allumait un tel feu en moi qu'une mer n'aurait pas suffi à l'éteindre. On a tous besoin, j'imagine, de commettre un sacrilège de temps à autre, et je me suis figuré le plaisir que j'aurais eu à la battre, mais je me suis arrêté là...

Je suis entré dans le garage. La hache semblait en bon état, j'ai grippé la masse dans la même foulée, avant de tourner mes pas vers l'horrible cabane qui grimaçait au milieu de la cour arrière. Je lui ai juré d'avoir sa peau. Le besoin de m'échiner était tel que j'aurais creusé la terre jusqu'à ce qu'un Chinois me gratifie d'un sourire bienveillant. Trois ou quatre milliards de femmes dans le monde, des noires, des blondes, des rousses, belles à en tomber à genoux, et moi, comme un con, à ne désirer que celle-là : une vipère dangereuse, une pisseuse de venin ! Le temps était-il venu d'aller m'allonger à mon tour sur un divan ? Ou de faire une marche de santé au bras d'une gazelle agitée ? Quelle tristesse, juste d'y songer ! J'avais toujours pensé que, seul sur une île déserte, j'aurais trouvé assez de passion pour sourire à longueur d'année, mais je n'en étais plus convaincu. Les femmes, comme la vie, m'étais-je toujours répété, ne sont recommandables qu'à condition d'être certain de pouvoir s'en passer. Ne va pas t'accrocher, crains le manque comme la peste...

Et voilà où j'en étais. Petite crotte entortillée sur elle-même, sèche et sans odeur. Jocelyne me manquait, et merde j'en mourais... J'étais pourtant un type normal, non ? Je me tenais debout, je prenais soin de ma fille, je trimais dur... Sûr que j'étais un brin nerveux, torturé, mais j'aurais bien aimé la voir, tiens, juste une journée, un seule, avec cinquante ténébreux sur le dos et pour presque rien en plus... la belle affaire ! Qui était-elle pour se permettre de me juger ? Pour qui se prenait-elle ?

— Hé ! le bûcheron, tu viens manger ! Hé ! tu m'entends ?

— Je n'ai pas faim, Rosie.

— Faut que tu manges !

— Faut rien du tout, Rosie... Et surtout pas aimer trop !

Un homme, ça se contrôle, sinon c'est pas un homme, aimait-elle à claironner, mais je trouvais qu'elle ne se contrôlait pas beaucoup. Pour sûr, la tourtière et la dinde m'étaient restées sur l'estomac. J'ai lancé la masse lourde dans le mur d'où un bruit sourd s'est échappé. Ça m'a littéralement fouetté, et des centaines d'autres coups ont succédé. On aurait dit que du cœur aux bras je me transportais la peine. Un pan de mur complet s'est abattu et je l'ai aussitôt attaqué avec des forces renouvelées, empilant contre le mur du garage, par forme et grandeur, le bois ainsi récupéré.

— T'as besoin d'aide ?

— Sois sérieuse ! ai-je répliqué.

— Tu vas voir jusqu'à quel point je suis sérieuse !

Je me suis arrêté. La masse m'a glissé des mains. J'aurais voulu qu'elle parte.

— On ne pourrait pas remettre ça à la fin du monde, Jocelyne ?

— Tu vois, pour un mendiant, tu donnerais ta chemise, pour tes fous, tu t'arracherais la peau, tandis que moi, quand je te demande la moindre petite chose, c'est comme si j'exigeais mer et monde !

— ... *Shit !*

— Jean-Guy, Rosie, Julie, les petites vieilles que tu ramasses dans les épiceries, pas de problèmes ! Mais moi...

— Tu mêles tout, c'est pas du tout pareil.

— La seule différence, c'est que moi je t'aime, espèce de salaud ! J'en ai vraiment par-dessus la tête de tes niaiseries !

— Ce que tu veux, je ne l'ai pas ! Demande à l'autre !

— Ben, t'es pas con juste à moitié, chose !

— Appelle-moi pas chose. Et fous-moi la paix ! J'en sais plus que tu penses...

— Tu sais rien ! Tu crois toujours tout savoir, mais tu sais rien ! C'est fini, fini, tu entends ? Tu m'as assez fait de mal !

— C'est ça, Jocelyne, je te fais du mal...

Quand le deuxième panneau s'est affaissé dans un grand splouch, je n'ai pas donné cher de ce qui restait de la chiotte et c'est à coups d'épaule que je m'y suis attaqué.

Elle était assise sur une bûche et fumait. Les pans de son manteau s'étalaient autour d'elle sur la neige. Elle n'arrêtait pas de me regarder. J'aimais le manteau noir qu'elle portait. J'étais avec elle quand elle l'avait acheté, ensuite nous étions allés dans un parc pour prendre des photos. Elle était tout autre que belle, je l'ai déjà dit, et peut-être qu'au fond nous nous ressemblions, deux monstres. Je savais à quoi elle pensait. Enfin, je n'en suis pas absolument certain. Un puits sans fond taillé dans la pierre dure. Une drôle de femme, dangereuse, sans limites. L'amour, l'amour, c'est tout ce qu'elle voulait. Un nid douillet, quelques mots, des rideaux aux fenêtres, le centre commercial avec Julie le samedi, des chandelles sur la table, les yeux mouillés, la planète qui s'arrête de tourner, et tout ça dans un nuage d'encens pour enrayer les odeurs nauséabondes. Je voyais bien aussi tout ce qu'il pouvait y avoir d'horrible à préférer souffrir.

— Tu vas me regarder longtemps ? ai-je demandé en m'épongeant.

Le dos appuyé contre la brique, elle avait ce regard dans les yeux qui vous annonçait que vous n'étiez rien et qu'elle était tout. Sa cigarette est partie dans une gerbe d'étincelles, puis elle s'est levée. Je me suis approché. Je la détestais.

— Ne fais pas ça ! elle a dit, du feu dans les yeux.

Je me suis dirigé vers le garage en la tenant solidement par un poignet. Et ensuite, j'ai abaissé la porte.

Plus tard, après avoir entendu le moteur de son auto ronronner, j'ai aperçu son ombre derrière la fenêtre. J'étais tassé dans un coin parmi les bûches, je n'avais pas bougé depuis qu'elle était sortie, les mains dans la figure, je la respirais. J'ai attendu que les bruits du moteur s'éloignent, puis je me suis extirpé de ma cachette. Sur la fenêtre du garage, elle avait écrit « je t'aime », mais la buée avait déjà commencé à tout effacer.

J'ai ramassé la masse et j'ai tapé sur ce qui restait de la cabane. Combien d'heures se sont écoulées ? Je ne saurais le dire. Quand je me suis enfin creusé le dos, plus rien ne subsistait de la vieille horreur. C'était pure merveille de ne plus avoir cette monstruosité devant les yeux. En fait c'était peu, si ça ne changeait pas le monde comme on dit, mon cœur semblait tout de même s'y être accroché comme s'il s'était agi d'une question de vie ou de mort. Maintenant libérée, la cour respirait. Tout comme pour le petit malin qui examinait les crevasses de sang séché au creux de ses mains.

***

La maison baignait dans une pénombre rassurante quand je suis rentré. La bouche de Rosie mâchonnait de l'invisible, poussant la berçante aussi régulièrement qu'une armée en marche, et marquant le rythme en avançant d'un grain sur son chapelet à tous les deux va-et-vient. C'était réglé comme une horloge, une affaire personnelle entre elle et le bon Dieu. J'ai fait le moins de bruit possible en récupérant ma bouteille et me suis taillé une route jusqu'au foyer. Le scotch m'est descendu direct dans les pieds, me soudant si bien au plancher que j'étais certain que je n'allais plus être capable de me relever.

— Je ne t'avais pas entendu entrer, m'a dit Rosie, remettant son chapelet dans sa poche.

— Qu'est ce qu'il a dit, le bon Dieu ? ai-je questionné.

— Que tout allait s'arranger. Tu n'en doutes pas, j'espère ?

— Je sais pas, Rosie. Je sais pas...

Après, on a discuté pendant que je grignotais un morceau.

— Tu veux un café ?

— Trop tard, Rosie, ça va m'empêcher de dormir.

— Et Jocelyne ?

— Trop tard, pour ça aussi...

— Il n'est jamais trop tard tant qu'on n'est pas mort, m'a t-elle répliqué. Avec un peu de savon dans les yeux, je suis certaine que tu pourrais être encore beau comme un bateau.

Puis on a parlé de nos deux maisons mises en vente. Et, à sa façon d'en causer, j'ai cru comprendre qu'elle commençait à s'y faire et qu'une partie d'elle avait déjà commencé à emballer ses souvenirs. Ce qui n'était pas du tout mon cas. C'était même à des lieues, de ce qui me trottinait dans la cervelle.

— Tu sais bien que ça ne marche pas comme ça, elle m'a dit.

— Je partirai pas, Rosie. Toi non plus, d'ailleurs.

J'ai fait semblant d'écouter pendant qu'elle marmonnait des sottises inaudibles. Pour sûr que je savais qu'il y avait d'autres maisons, d'autres villes, d'autres pays, des poubelles pour elle, et des prisons aussi pour des types qui, pendant un court moment, auraient perdu l'esprit. Mais je n'en avais rien à foutre. On a papoté encore longtemps. Et je lui ai expliqué comment les choses se tramaient dans mon cœur. Et je l'ai rassurée aussi. Après, elle est demeurée muette pendant mille ans, puis elle a dit comme moi, qu'il y avait toujours une limite...

— C'est comme ça, Rosie, je vais acheter la maison. Avec quel argent ? On verra bien !

— J'en ai un peu de côté, si ça peut t'aider...

— Je me débrouillerai tout seul, Rosie. À mon âge, franchement !

— Et si on arrachait les affiches ? elle a rigolé.

Puis la sonnerie du téléphone nous a fait sursauter.

— Si c'est Jocelyne, je suis pas là !

Ma vieille amie s'est dirigée vers le téléphone, toujours gardant ses yeux sur moi, histoire de me faire douter un brin, j'imagine.

— C'est Jean-Guy, elle a déclaré en me tendant l'appareil.

L'Ours avait l'air essoufflé. Ça déboulait joliment, c'était surprenant et ça m'a pris un temps avant de comprendre ce qu'il voulait, tellement il s'y prenait bizarrement, tout en détours et presque sans voix.

J'ai levé un doigt vers Rosie qui avait enfilé son manteau et qui se tenait près de la porte.

— Ben, non ! Ça me dérange pas, au contraire, ça me fait plaisir ! C'est comme je t'avais dit, tu pourras prendre la grande chambre... Puisque je te dis que ça me fait plaisir. Arrête de t'en faire, Jean-Guy. Allez, à demain ! On t'attend !

Sacrée bonne nouvelle, de l'avis de Rosie, et j'étais bien d'accord avec elle. Mais, quand elle a voulu y mêler le bon Dieu, je ne sais pas, quelque chose au-dedans de moi s'est révolté. Je lui ai rappelé les maisons à vendre et le type en train de rigoler dans l'appartement de ma Jo, et lui ai demandé de bien vouloir me dire si ça aussi c'était un cadeau de son ami de là-haut.

— Ben non, ça c'est le diable... Le bon Dieu, c'est juste pour les bonnes nouvelles. Et puis, t'es jaloux comme un singe, elle a rajouté. Tu sais bien que Jocelyne...

Une petite pipe blanche au coin des lèvres, je me suis appuyé au cadre de la porte pour la regarder trottiner. Des languettes en fourrure synthétique cerclaient ses bottes à la hauteur des mollets, sa robe aux couleurs des îles volait au vent, elle tenait une main sur sa tête pour empêcher son bonnet de s'envoler. On aurait dit une espèce de collage bizarre, les pattes et la tête en hiver et le reste en été. Juste avant de disparaître pour de bon, elle s'est retournée :

— J'allais oublier, tu diras à Julie qu'Eugène a appelé.

— Qui c'est ça, Eugène ? j'ai crié.

14

Je me sentais nerveux. Février nous enfonçait ses griffes dans la peau, son poison avait remplacé le sang dans nos veines. Et, ce matin, le ciel nous était tombé sur la tête. On venait visiter ce soir à huit heures la grande maison, notre grande maison... Nous avions débattu de la question en avalant notre déjeuner. C'est moi qui avais pris l'appel et ça n'avait pas été très long avant que ma figure déconfite ne les attire tous autour de l'appareil.

— Saint-Cibole, avait grogné Jean-Guy.

— C'est comme tu dis, avait renchéri Gracelle, qui s'était amenée aux aurores, suspendue au bras de Rosie !

— On va pas se laisser faire. Ils vont pas l'avoir comme ça, avait rouspété Julie, en déposant des cafés devant Claudine et Eugène.

Des canons à la place des yeux, des mâchoires de pitbull, des poings serrés, c'est ce que j'avais laissé sur le seuil de la porte en quittant la maison. Le proprio n'avait qu'à bien se tenir. Le fait était pourtant que la maison lui appartenait et qu'il avait le droit d'en faire ce qu'il voulait. Tout ce que j'avais entre les mains était un bail de quelque mois, valant à peine quelques pets et ne m'autorisant aucun recours. Cela je le savais très bien, même si devant les autres je feignais de l'ignorer, agissant comme si je n'en avais rien à foutre. Enfoncer dans la tête des gens que les choses ne pouvaient pas toujours aller de travers, n'était-ce pas ce pourquoi on me payait ? Alors ?

Deux fois déjà depuis le matin, Michelle m'avait demandé ce que je foutais... Est-ce que j'avais envie de faire sauter la baraque ?

Une mare d'eau brunâtre s'était répandue jusque dans le grand salon. Les gars et les filles avaient dû l'éponger rapidement avant qu'elle ne s'écoule chez le dépanneur du dessous. J'avais négligé de fermer un robinet.

— Vite, les gars ! Si Miller reçoit une seule goutte sur la calotte, on est faits comme des rats.

— Si t'avais fait attention, aussi !

C'était déjà arrivé deux fois auparavant, et nous avions reçu la visite des pompiers. Joachin Miller, propriétaire du dépanneur et de la bâtisse, ne nous portait pas dans son cœur. Il aurait payé pour nous voir ailleurs. Le chef des pompiers avait été clair :

— Tâchez de voir à votre affaire ! Ça fait deux fois déjà !

— Oui, monsieur. C'est promis.

— C'est pas pour moi, c'est pour vous... Il ne fait pas très chaud dehors.

Vingt degrés au-dessous zéro, pour être exact, de quoi ramasser ses couilles sur le trottoir. Faut dire qu'ils avaient pris la chose à cœur, mes inquiets. Mais ça ne les avait pas empêchés de me regarder d'une drôle de façon.

— Ça va pas, la tête !

Tout était à peine rentré dans l'ordre, que j'avais remis cela, et de belle façon. Avec la bouilloire, cette fois. Je l'avais branchée, m'étais gratté une oreille, puis j'étais parti, tout simplement, voir ailleurs si j'y étais. C'était une vieille bouilloire que l'on avait réparée. Quand j'avais repris conscience, Boutin la tenait à bout de bras, enroulée dans une couverture. Et une traînée de fumée le poursuivait.

— Sacrament ! C'est quoi ton problème, tu veux tous nous faire brûler, t'es fou ou quoi ?

Venant de lui, j'avais réfléchi avant de répondre car, s'il y en avait un dans cette mansarde qui s'y connaissait en fous, c'était bien celui-là... qui allégrement s'en allait sur sa trentième année d'expérience dans le domaine, qui avait mis sur le cul des hôpitaux entiers, qui, à ce qu'on racontait, pouvait se glorifier d'avoir provoqué au moins une bonne dizaine de retraites anticipées dans le glorieux monde de la psychiatrie. Elle avait littéralement fondu, la bouilloire...

— Ça va aller ? avait demandé Michelle.

— Ouais, je commence à me réveiller. Ça va aller !

— Il y avait cette enveloppe sous la porte ce matin, sans timbre. Quelqu'un a dû la déposer là. Prends le temps de respirer, a-t-elle rajouté en me souriant.

— La gare est ouverte, j'ai dit, en attrapant la lettre qu'elle me tendait.

Mais le train, on pouvait toujours l'attendre... Ils arrivaient tous à pied. Avec autant de trous dans les poches que dans les souliers.

Je possédais apparemment d'immenses qualités, j'étais un type extraordinaire, mais c'était évidemment une question de sous. J'étais une sacrée aubaine. Au salaire que le centre me payait, il n'aurait pu s'offrir qu'un quart de travailleur social, un tiers d'infirmière ou à peine un petit bout de psychiatre, peut-être même juste une vieille oreille bouchée ou des lunettes sur un bout de nez, au choix... et surtout pas un hôpital. Alors pour sûr, on m'aimait bien, j'étais toute une affaire, une véritable aubaine, je le répète. Mais j'aimais bien.

Des quatre coins de la ville nous parvenaient de maigres dons suffisant à peine à garder les portes ouvertes. Deux fois la semaine, ou plus si nous le pouvions, c'était le spaghetti ou le pâté chinois. Qu'ils ne s'en aillent point mendier chez ceux qui au départ s'en étaient débarrassés... De temps à autre, je les réunissais.

— On n'a plus de sous... je disais.

— Ah non, pas encore ! ils ronchonnaient.

— Ouais, faut y aller...

C'était notre façon de procéder à nos campagnes de financement sporadiques. Une espèce de grand défilé sans clown, une procession, pas exactement une fête, mais ça ne nous empêchait pas de rigoler. Certains traînaient derrière, d'autre gesticulaient devant, et je les jetais comme des pétards aux pieds des commerçants du coin, question de les apeurer un peu.

— Ouais ! Ils vont tous se retrouver dans la rue... leur expliquais-je, pendant que mes inquiets sautillaient comme des poux, piaillaient comme des poules et tripotaient à qui mieux mieux la marchandise.

Puis je baissais les yeux et la tête, et on pouvait facilement deviner l'inquiétude qui m'accablait.

— Hé, les gars, les filles, ne brisez rien ! De vrais enfants, vous ne trouvez pas ?

On passait ensuite au suivant et, pour finir, on allait gentiment marcher du côté résidentiel. Comme par enchantement, les jours suivants, quelques dons anonymes aboutissaient invariablement sur le bureau de Michelle. En général, ça fonctionnait assez bien et, pour tout dire, c'était très économique côté frais généraux. Je me suis toujours dit qu'il suffirait de laisser pleuvoir sur la ville, le même jour et à la même heure, tout ce qui y grouille de malheurs pour que plus jamais il ne soit nécessaire de se mettre à genoux pour quémander quelques sous.

Pour l'instant, nous ne roulions pas sur l'or cependant et le centre était évidemment dégueulasse. On s'y taillait un chemin à la machette, au travers d'un épais nuage de fumée et d'odeurs de médicaments. Autant dire qu'on se faufilait entre une pluie de pets si serrés qu'il aurait été inutile de se boucher le nez. Vivement l'été... Deux fois la semaine, on s'arrondissait autour d'une table avec des tonnes de cigarettes et du café, et nous échangions, comme on dit. J'avais vite compris que mes inquiets ne différaient des autres en rien, et depuis longtemps je ne me creusais plus la tête. C'est ainsi que régulièrement les épaules tressautaient, les derrières gigotaient sur les chaises pendant que de bon cœur on se découpait de la fesse en rêvant de gagner à la loterie.

Malgré les années qui derrière moi fuyaient et celles qui devant s'alignaient, je n'étais nullement inquiet qu'un jour nous tombions en panne de mots. Et s'il arrivait souvent que l'on tourne en rond, il suffisait de bien peu, d'un sourire, d'une marque de tendresse, pour que l'on se retrouve tous enveloppés de chaleur. J'aimais bien que la vie me soulève ainsi le poil. À ce qu'il me semblait, ça me permettait, vivant ainsi aux aguets, de ne pas devenir trop rapidement gros et stupide, comme j'en voyais trop souvent, qui se pensaient pourtant des dieux, mais sans raison. Il m'arrivait aussi de me voir plus simplement comme un fou parmi d'autres. Certains jours, c'était passablement difficile de me différencier de mes inquiets. C'était sûrement pour cela qu'ils m'aimaient bien, qu'ils ne me couraient pas après avec un couteau à la main et qu'ils me foutaient la paix de temps à autre...

Comme partout ailleurs, il y en avait que je prisais moins et quelques-uns, rares heureusement, qui me donnaient carrément la nausée. Mais n'était-ce pas ceux-là qui, dans la vie, vous collaient le plus au train comme la merde au cul d'un chien. Il est entré juste au moment où je déchirais l'enveloppe que Michelle m'avait tendue. Juste à l'odeur, j'aurais pu le repérer. Sa petite casquette de cuir avachie, telle une noire tonsure sur sa tête de hyène, son pantalon de cuir tendu sur ses grosses cuisses, sa valise se trémoussant au bout de son bras comme une mouffette depuis longtemps décédée, on aurait dit un pou noir en laisse sur l'épaule de James Dean. Il était là maintenant, je me suis forcé à regarder ailleurs. J'ai déplié la lettre. C'était écrit en grosses lettres détachées, à l'encre rouge : « Dis à ta chienne de laisser ma femme tranquille, ou... » Et c'était tout, un peu chiffonné et dégueulasse. Ça puait. Ça ne me disait rien qui vaille, évidemment. La lettre toujours entre les mains, j'ai levé la tête un instant et l'œil du pou a rencontré le mien. Il tombait mal.

Je l'ai regardé se diriger vers le milieu de la salle, j'ai souhaité ardemment qu'il ne vienne pas s'incruster. Ne voulant pas imposer à son palais royal le supplice de notre café, il apportait le sien dans une bouteille thermos. Quand il s'est approché du gros fauteuil, celui qui y prenait place s'est levé comme si un ressort l'avait éjecté, puis le pou s'y est installé. Il a tiré vers lui la petite table, y a déposé sa mouffette et en a sorti sa bouteille.

— Apporte-moi une tasse propre !

Gisèle s'est élancée vers la cuisine...

Ce qu'il fabriquait m'avait toujours semblé le comble de la fumisterie. La popularité de la peinture abstraite avait été pour lui une bénédiction, il lui suffisait de chier sur du papier et de laisser sécher. En certains lieux, peut-être l'aurait-on couvert d'or ou traité de génie, mais pourquoi était-ce nous qui devions le respirer ? Pierre-Étienne de ses prénoms. Dutroussier de son nom de famille. Du trou du cul pour nous ! Quand il venait, je n'aimais plus mon travail, ma poitrine se contractait, je trouvais que mes inquiets avaient de la chance de pouvoir se trimballer avec une boîte de pilules dans la poche.

Je me suis levé, j'ai fermé la porte de mon bureau, espérant qu'il n'allait pas tarder à repartir. Peut-être n'était-il qu'un autre pauvre diable qui avait besoin d'un peu d'affection ? Mais quelque chose en moi répugnait à le croire. Chacun a droit à ses limites, non ? Celui-là marquait la mienne. Je fulminais rien que de le savoir là, c'était plus fort que moi. Il avait des opinions sur tout, suçait les mots avant de les baver et, si c'était de bouffe qu'il causait, je devais aller dégueuler sur-le-champ.

— Vous n'allez pas manger ça... Merde, mais vous êtes vraiment des porcs !

Il était pourtant bon mon pâté chinois, je pourrais le jurer. J'étais assez content de moi, puisque je ne l'avais même pas tué.

J'ai fait le numéro de Jocelyne en gardant un œil sur la lettre et l'oreille étirée vers la grande salle. Sans succès. Puis j'ai recomposé et me suis résolu à laisser un message sur son répondeur. Je me suis gratté la tête en regardant dehors. Je détestais cette histoire-là, la prochaine fois ce sera la bonne, j'ai songé, amèrement. Je savais d'avance qu'elle allait dire que ça n'avait aucune espèce d'importance, que ce n'était rien, que des lettres comme celle-là, c'était tout juste bon à se torcher le cul. J'aurais tellement aimé qu'elle change de métier. Ou qu'elle s'y prenne autrement. Il m'arrivait d'en faire une maladie.

Dutroussier avait élevé la voix, il était en train de foutre le bordel, encore une fois. Je me suis levé, j'ai tendu l'oreille. Quand je suis sorti de mon bureau, quelques inquiets fuyaient en tripotant leur boîte de pilules. Ils avaient les cheveux dressés sur la tête et semblaient avoir vu le diable. Dutroussier leur expliquait justement à quel point il manquait de culture, et combien ignorants ils étaient, de vrais sauvages, disait-il.

— Tu peux pas leur foutre la paix, non ?

— J'essaie de les éduquer, tu devrais être content, je suis en train de faire ton travail !

Tout en lissant les deux ou trois poils qui lui pendouillaient au menton.

— C'est pas en leur montrant tes cochonneries que tu vas réussir !

— Qu'est ce que tu connais en art ?

— En art, pas beaucoup, mais en gros lard frustré, j'en connais un bout, tu peux me croire ! lui ai-je sèchement répliqué.

Vu l'extrême sensibilité de sa digne personne, je regrettais déjà chacun de mes mots en les voyant filer vers lui comme des flèches enflammées. Était-ce vraiment nécessaire ? Il s'est levé, me fusillant du regard. Il souriait comme un bouddha. Je l'ai regardé dans les yeux. Chaque fois qu'il venait, nous marchions sur des œufs. Il m'était impossible d'ignorer sa présence. Michelle était d'avis qu'il fallait tenter de l'aider, qu'en y mettant du sien... J'aurais préféré qu'elle le fasse elle-même.

— T'es juste un raté ! il a craché.

— Fais pas chier, Dutroussier. Va donc promener ta graisse ailleurs !

— Tu devrais pas me parler comme ça, tu risques gros, tu me connais pas !

— Pourquoi tu viens ici ? Un grand artiste comme toi... Pourquoi t'es pas dans les musées ou les galeries, ou chez toi à travailler ?

— J'ai le droit d'être ici autant que n'importe qui. Tu devrais être content qu'un gars comme moi...

J'avais déjà tourné les talons, je sentais son regard qui me bombardait la tonsure. J'ai ouvert la porte des toilettes, décroché le miroir, puis je suis revenu vers lui.

— Regarde, j'ai dit ! C'est ça qu'on voit quand tu franchis la porte.

Je le détestais, je n'étais pas certain d'avoir la distance nécessaire. La petite goutte acide que sa présence déposait sur mon cœur s'activait, la brûlure s'intensifiait, il était vraiment tombé sur une mauvaise journée. Être juste à son égard, le comprendre, était vraiment la dernière de mes intentions. J'avais envie d'exagérer, de souligner au crayon gras, d'employer les mots qu'on garde habituellement au fond du tiroir. J'ai su résister cependant, je me suis plutôt dirigé vers la salle de bains et j'ai remis le miroir sur son clou. Mon départ l'avait laissé cloué sur place, aussi l'ai-je retrouvé au même endroit, sauf qu'il flambait comme une torche.

— Un jour, je vais te régler ton cas, et vite fait à part de ça !

— Pourquoi pas aujourd'hui ? j'ai déclaré.

Pendant qu'il me mitraillait, j'ai enlevé mes lunettes calmement. Je les ai solennellement déposées sur une chaise à côté, toujours gardant mon regard plongé dans le sien. J'ai pris le temps de presser chaque petit pli de ma chemise, avant de gravement relever mes manches, une à une. J'en faisais trop, mais je n'arrivais plus à stopper mon élan, je me sentais aussi sensible qu'une pierre dévalant une montagne.

— Quand tu veux, Dutroussier, ai-je froidement suggéré à la fin. C'est quand tu veux !

— Ça va, je m'en vais.

— Tu vas pas me faire ça ?

On l'aurait dit sortant d'un sauna, des plaques rouges se dessinaient sur sa figure. Il suait à grosses gouttes. Crispé de la tête aux pieds, il puait la rage et la méchanceté, et je me sentais grandir démesurément. J'ai tendu la main vers ses dessins. Tellement de peinture s'accumulait sur ses saletés qu'il s'en est rapidement trouvé de grandes plaques sur le plancher. Du noir, du gris, du brun, une sainte horreur ! Et le reste, je le lui ai balancé à la figure, en lui mettant un doigt sous le nez.

— Tu vas le regretter ! a-t-il lancé, en reculant pour s'abriter derrière le sofa.

Mon pied est passé dans le vide. Un centimètre de plus et je lui bottais le derrière. Voilà ce à quoi tient la vie quelquefois... Pendant qu'il fuyait à toute vitesse vers la sortie, j'ai fait signe aux autres que le spectacle était terminé. Je pouvais lire la déception sur leurs visages.

— Café pour tout le monde !

Maintenant Dutroussier était sans doute là-haut à pleurnicher, et je m'attendais à voir la belle crinière de lionne de ma patronne s'encadrer dans la porte d'un moment à l'autre. Dire que je ne regrettais pas un peu serait mentir, mais ce que je regrettais par-dessus tout, c'était qu'il n'ait point osé lever la main, qu'il ne se soit pas avancé vers moi le poing brandi. Le sang me pulsait dans les tempes, c'était la débâcle du printemps, mon cœur suffisait à peine à contrôler ce bouillonnement qui me sillonnait de part en part. Puis Michelle est arrivée comme je l'avais prévu.

— C'est moi ou lui, ai-je vociféré, d'un ton qui n'admettait pas qu'il puisse en être autrement.

— Voyons, a-t-elle dit.

— Michelle, ça fait trop longtemps qu'on l'endure. Tu m'entends ? Je ne veux plus le voir. Il part ou je pars !

— Tu as l'air fatigué...

Je ne sais pas si je l'étais vraiment, mais à me l'entendre dire comme cela, si gentiment, je me suis en effet senti une certaine lassitude. Mes dernières vacances remontaient à la nuit des temps. On s'était vraiment activés comme des rouleaux compresseurs durant les fêtes, à aplanir les montagnes d'angoisse qui n'avaient cessé, comme chaque année, de pousser comme des champignons vénéneux. Oui, peut-être, j'en avais ma claque...

— Tu sais bien que je n'ai pas les moyens de prendre des vacances maintenant.

Puis on a jasé, longtemps, longtemps. Pas un bruit ne parvenait de la salle, le calme après la tempête. Michelle était d'accord avec moi. Elle pensait, elle aussi, que le pou n'avait rien à faire chez nous. Qu'il y avait sûrement d'autres endroits plus appropriés. Qu'elle y verrait... Mais ce n'était pas ce qui la tracassait et, quand elle m'a expliqué qu'elle ne voulait pas me perdre, je me suis demandé où elle m'avait gagné...

— Peut-être que ça peut s'arranger, m'a-t-elle souri à la fin. Tu as besoin de repos, c'est ton tour. Laisse-moi faire un téléphone !

Dix minutes plus tard, elle redescendait et, comme de raison, elle avait tout arrangé. Je n'ai pas annoncé la nouvelle à mes inquiets, pour ne pas les inquiéter. J'ai fait comme si de rien n'était, mais ne suis pas retourné une seule fois dans mon bureau. Et ce n'est qu'à la fin de la journée, une fois assis dans l'auto, que j'ai commencé à réaliser que j'étais enfin en congé. J'avais toujours Dutroussier en travers de la gorge. J'ai roulé, dépassé quelques types, puis je me suis élancé sur l'autoroute. Et sans trop m'en rendre compte, j'ai bifurqué à la mauvaise sortie, ce qui ne m'était pas arrivé depuis des siècles. Un moment, j'ai pensé reculer, mais je me suis ravisé, et j'ai quitté la bretelle pour m'engager sur la route secondaire, m'apercevant presque aussitôt que je filais dans la mauvaise direction. Finalement, j'ai repéré une barrière qui protégeait l'entrée d'un champ. J'ai poussé sur la droite, question de me donner un peu de jeu afin de tourner convenablement, mais quand ce n'est pas ta journée, ce n'est pas ta journée, tant et si bien que je me suis enlisé. Toujours dans la mauvaise direction, la roue avant à deux pas du fossé, à frapper sur le volant, avant, arrière, et que je brûle du caoutchouc, mais rien à faire. Heureusement, j'avais ce qu'il faut à l'arrière, alors je suis sorti. Claquement de portière, clés qui tombent, et me voilà à quatre pattes dans la neige pour les retrouver. Quelques minutes plus tard, j'avais tout installé. Vivement que je me sorte de là. Grognant comme un vieil ivrogne, j'ai enclenché la marche arrière, puis j'ai fiché mes yeux dans le rétroviseur pour m'assurer que la voie était libre. Un type étrange m'y attendait, une espèce d'hurluberlu. Surpris, j'ai détourné le regard et me suis frotté les yeux avant d'y revenir. Je n'avais pas rêvé, il y avait vraiment un type planté au milieu du miroir qui me lorgnait comme s'il me connaissait. De mon côté, s'il me rappelait bien quelqu'un, je ne n'aurais su dire exactement qui c'était. J'ai pris le temps de l'examiner.

Et c'est là, apeuré par ce fou qui me crevait les yeux, que j'ai compris, en une fraction de seconde, l'ampleur du désastre. Et pour sûr que ce fou je le connaissais, il habitait ma tête, il était mes os et ma peau, j'étais devenu cinglé. Complètement cinglé. À enfermer.

Je me suis quand même sorti de là, mais plutôt que de foncer tête basse, j'ai tourné la clé au point mort. Puis j'ai abaissé la fenêtre et me suis appuyé le front sur le volant. J'avais sombré dans la folie. Il n'y avait pas à en douter. Une espèce d'insensé qui se contente de suivre le défilé sans réfléchir, vivant à deux cents à la minute, sans se donner la moindre chance, exécutant des ordres venus de nulle part, prêt à tout. N'avais-je pas voulu, de mes propres mains, arracher la tête de Dutroussier. Pierre-Étienne de ses prénoms ? Depuis combien de temps n'avais-je pas soupiré en regardant l'immensité ? Avais-je au moins une fois depuis le début de l'hiver pris le temps d'ouvrir la bouche pour avaler quelques flocons ? Doux Jésus !

J'ai passé la tête par la fenêtre et m'en suis attrapé quelques-uns qui passaient par là, puis je suis carrément sorti. Chaque pas soulevait son lot de diamants qui s'éparpillaient devant moi. J'en ai soulevé une montagne avec mes mains et j'ai visé les étoiles puis, plus simplement, la lumière du réverbère qui torchait le dessus de ma tête. Une pluie d'étincelles en a jailli et, doucement, avant qu'elle ne retombe, je me suis glissé dessous, les yeux fermés. Mais qu'est-ce que j'avais foutu pour me mettre dans un état pareil ? J'ai remonté la fermeture de mon blouson et ajusté mon foulard. Le sol craquait sous mes pieds, on aurait dit que la terre ricanait. Où m'étais-je trompé ? Quand exactement m'étais-je endormi ? Je ne me racontais plus d'histoires et j'ai soudainement réalisé que, pire encore, je ne chantonnais même plus dans ma tête. Je ressassais, je ruminais comme une vieille vache, la planète était devenue mon étable. Mes inquiets, la mise en vente des maisons, les factures, Jocelyne, Julie, Rosie, Gracelle, tout cela me tirait vers le fond, je coulais, j'étouffais. J'ai fait encore quelques pas avant de m'arrêter devant un vieil arbre défeuillé. J'étais devenu un salaud. Un fou, un cinglé, un homme et un salaud. J'ai laissé un moment mon regard se perdre aux alentours. Rien ne laissait deviner que le monde soit un endroit si horrible. Des jets de brume violacés s'échappaient de ma bouche et se dispersaient en frissonnant sous mon nez. De la neige, à perte de vue. L'endroit était magnifique, empli de paix. Jocelyne me manquait comme toujours. J'ai laissé retomber les épaules en tournant lentement sur moi-même, et après quelques tours, je me suis senti comme dans un carrousel. Les petits chevaux montaient-descendaient, puis j'ai eu l'impression d'entendre quelques notes. J'ai fermé les yeux. Un instant doux s'est installé, le froid me piquait le bout du nez. Je n'avais plus envie de bouger. Le temps semblait s'être arrêté. Puis je me suis laissé choir sur le dos, les bras en croix, au pied du vieil arbre gelé. Le ciel immense et généreux me saupoudrait de sensations et j'ai gardé les yeux ouverts malgré le tourbillon incessant qui me retournait l'estomac. Chaque molécule de mon corps se débattait. L'immensité me donnait le vertige. Qui pouvait bien m'avoir foutu dans un endroit pareil ? Un si bel endroit, avec son ciel, ses étoiles, ses milliards de soleils.

J'ai vu venir encore une fois ce rare moment où plus rien n'allait avoir d'importance, mais j'ai eu trop peur pour continuer. Paniqué, j'ai sauté sur mes pieds. Je me suis claqué le dos en respirant très fort, j'ai sautillé, frissonné, puis toute la Sainte Famille est revenue. Elle avait drôlement raison, Michelle. Doux Jésus, que j'étais fatigué... Et comment, que j'allais me reposer ! Ainsi que je le lui avais promis. Elle n'avait rien à craindre, tout neuf que je lui reviendrais. J'ai sorti le chèque qu'elle m'avait griffonné sur le coin du bureau, j'ai vérifié le montant, j'ai replié le précieux papier avec soin et je l'ai remis dans ma poche avant qu'il ne s'attrape quelques flocons.

— Ça va drôlement cailler ce soir !Bonne chance, mon vieux, ai-je lancé au gros arbre avant de lui tourner le dos.

Une couche de paillettes recouvrait entièrement l'auto maintenant. J'ai promené mon regard encore un moment tout autour, laissant mon âme s'imprégner, lui demandant pardon aussi, le cœur rempli de promesses. Je me suis couvert la face de neige, avant de m'installer derrière le volant, et c'est sans regret que j'ai tourné le dos à l'autoroute.

Trente, quarante kilomètres à l'heure, ça m'a semblé un maximum dans les circonstances, le temps de flotter encore un peu et de m'amuser avec les flocons qui déboulaient en rangs serrés. Si quelques-uns s'en prenaient plein la gueule, d'autres comme par magie trouvaient moyen de s'envoler au dernier moment. J'ai songé que c'était peut-être ce que moi aussi je venais de faire, m'envoler juste avant de m'écraser. J'ai cherché un temps l'image exacte mais, à part une aile brisée, un bec amoché, je n'ai rien trouvé.

15

J'ai embrassé les filles en arrivant. Gracelle et Rosie, ainsi que Claudine et Julie. Puis, tel un colonel à l'inspection, j'ai circulé sous les rires de par toute la maison, les mains dans le dos, me déclarant à chaque étape plus que satisfait. C'était bien enfantin, notre manège, mais qu'avions-nous à perdre à essayer de la garder encore un peu, la grande maison ?

Jean-Guy sirotait une bière en regardant la télé. J'étais heureux qu'il soit là. Je me suis accoudé à la fenêtre. La pancarte se balançait doucement, et d'une étrange façon me questionnait. Des raisons de vouloir rester dans cette maison, j'aurais pu en faire une liste si longue qu'on n'en aurait jamais vu la fin. Mais la vraie, l'unique, celle qui aurait pu expliquer tout ce à quoi j'étais prêt à m'abaisser, celle-là ne se montrait pas le bout du nez. Tout au plus, résonnait-elle comme un bruit sourd dans mon ventre, un machin indéfinissable, une espèce de rage si on veut. J'approchais vaguement de la cinquantaine – je dis bien vaguement – peut-être ressentais-je tout simplement ce désir, qui arrive un jour ou l'autre, qu'on le veuille ou non, de poser pour un instant son cul. Je n'y croyais qu'à moitié et, à vrai dire, pas autant que l'on pourrait se l'imaginer. Et c'était ainsi et fort simple, j'en avais tout bonnement assez de me faire enculer. La chose était bien réelle : un ras-le-bol à me donner envie de vomir.

Je me suis versé une goutte pendant que les autres s'affairaient, puis j'ai allongé les jambes sur la bavette du poêle. Je me sentais bizarre, un peu demeuré, pas encore tout à fait mûr pour l'asile, tout juste comme un type qui venait de s'envoyer en l'air au fond d'un stationnement avec une fille qui n'avait pas cinq secondes à lui accorder, qui s'appelait Jocelyne, et qui recevait des lettres de menace.

Mais ça, je ne l'ai pas encore raconté, et ne le ferai pas ou si peu, et pas dans les détails, c'est certain. Que je dise seulement que sur la route, après que le cinglé me fut apparu dans le miroir, au hasard d'un tournant, j'ai aperçu un restaurant. Pour une raison étrange, cela m'a donné des idées. Des idées exotiques, pour être plus précis. Cigarette donc, petit café, et enfoncé dans mon siège au fond du parking, comme je l'ai déjà mentionné, la main dans le pantalon... Eh oui ! Avec de la Jo plein le calot, et comme un seul homme. Une espèce de prime à l'encouragement, bien méritée, il va sans dire. Merci beaucoup, et qu'on en parle plus.

— T'as l'air drôle, il a dit, Jean-Guy.

— Tu trouves ?

— Ben, je sais pas, mais t'as une bizarre de face.

— J'ai la face que j'ai, c'est quoi que tu racontes ?

Le poilu m'a versé une goutte sans rajouter un mot, mais non sans me zieuter encore à quelques reprises. Loin de lui en vouloir, je lui ai souri, car j'étais certain qu'il avait raison. Pour avoir une drôle de face, je devais en avoir toute une, et même une face à claques, si ça se trouve.

Tout était prêt pour recevoir la grande visite, il ne nous restait plus qu'à patienter. Tous s'installèrent pour manger tandis que moi, je m'en allai mijoter, un verre à la main, en pensant à tout l'argent que je n'avais pas, et à des tas d'autres trucs tout aussi intéressants. Je me sentais nerveux, cette histoire me déplaisait, ça ne ressemblait pas vraiment à ce que j'aurais souhaité. Signer un chèque, passer chez le notaire, l'air hautain comme si ce n'était rien, je me serais bien mis ça dans la pipe. J'entendais Gracelle rigoler et tout le monde semblait follement s'amuser, alors pourquoi la ramener ? Mais au fond de moi, je trouvais la situation ridicule. Alors que de simples types y parvenaient, avec un minimum, pourquoi moi, que ma mère avait toujours trouvé si brillant, vivais-je depuis toujours sur la paille, comme le fils de l'autre ? J'en avais glissé un mot à Jean-Guy qui devait s'y connaître, puisqu'il ne cassait rien, lui non plus. Et d'après lui, c'était parce qu'on n'y pensait jamais, sauf quand venait le douloureux temps de payer. C'était aussi simple que ça. Je voulais bien, et pourquoi pas...

— Jean-Guy, j'ai lancé, pendant combien de temps faut y penser ?

— Penser à quoi ?

— Ben, à l'argent, tu sais, comme tu m'as dit l'autre jour.

Il s'est amené dans l'encadrement, m'a regardé, s'est gratté la caboche, à semblé s'engloutir en lui-même :

— J'pense que c'est tout le temps !

— Tout le temps ? T'es pas sérieux !

— J'pense ben que c'est ça !

— Ben tabarnouche, Jean-Guy, mon chien est mort, c'est certain !

Cinq minutes avant l'heure prévue, nous sommes tous entrés dans nos rôles, nous éparpillant comme des chasseurs embusqués, silencieux et concentrés, dans l'attente du gibier.

Tirant un bout de rideau, c'est un couple distingué qu'à l'heure dite j'ai vu descendre de l'auto tandis que l'agente leur tenait la portière. Elle, en bottes à talons hauts, le mollet galbé, lui, de gris vêtu, s'ajustant une cravate qui pourtant semblait déjà l'empêcher bougrement de respirer. Sans être nantis, on pouvait les imaginer à l'aise, de culture, d'argent et du reste. C'était exactement eux que j'attendais...

Je les ai laissés se réchauffer un peu en se dandinant sur le perron qui se ramassait pour ainsi dire tout le vent des alentours. Sans me presser, de la porte je me suis approché, et j'ai gratté un rond dans le givre de la fenêtre, au travers duquel je leur ai balancé la main, leur criant de patienter un instant, leur expliquant que je n'en avais que pour une minute, deux tout au plus. Le tournevis que j'ai ramené, je le leur ai bien montré dans le hublot, qu'ils n'aillent surtout pas s'impatienter. On y était presque, c'est ce que je leur ai signifié, agitant une main devant leurs yeux pleurant de froid. Sur le côté de la porte, je me suis escrimé, montrant ainsi que loin de lésiner j'y mettais toute la gomme. Quand enfin j'ai réussi à l'ouvrir dans un bruit d'enfer, le moins que je puisse dire c'est que ça se bousculait au portillon. Un moment, j'avais même eu peur de ne pas y arriver. La prochaine fois, me suis-je dit, j'avertirai Jean-Guy d'utiliser un peu moins de colle.

Comme ils allaient s'avancer, voilà que la vieille Rosie, un fichu noué autour de la tête, s'est coincé une bouffée de pipe en travers de la gorge. Aussitôt, je me suis précipité vers elle, cependant que Jean-Guy s'amenait en trombe, le crachoir à la main.

— Allez-y grand-mère, crachez, répétions-nous en chœur, lui donnant de grandes tapes dans le dos.

La crise passée, on lui a redonné sa pipe, à la pauvre vieille...

Jean-Guy a alors expliqué qu'elle ne devrait plus fumer depuis longtemps, mais qu'il était difficile, sinon impossible, d'enlever à cette pauvre vieille le seul plaisir qu'il lui restait en ce monde. Pendant qu'il leur causait gentiment ainsi, ses mains agitaient devant eux le crachoir qui déjà par deux fois avait régurgité un visqueux mélange brunâtre au fond du lavabo, sur lequel se dessinait d'ailleurs une large plaque de rouille qui, même à un œil non averti, n'aurait laissé aucun doute quant à la qualité de l'eau. La dame, de toute évidence, en avait déjà le cœur soulevé et on ne l'aurait pas priée bien longtemps pour qu'elle décampe, mais je voulais m'assurer qu'aucun doute ne subsistait, aussi, les ai-je humblement priés de bien vouloir me suivre.

La lumière crue est tombée sur une autre pauvre vieille hébétée qui, surprise dans son sommeil, s'est carrément retrouvée assise dans son lit, serrant une couverture sur ses maigres seins et se demandant si ce n'était pas la mort qui venait la cueillir. Je l'ai recouchée, bordée gentiment, pendant que le couple, rivé dans un rayon de lumière, semblait être tombé malencontreusement d'une autre planète.

— Ne vous gênez pas, ai-je conseillé, prenez la peine de bien regarder, c'est important l'achat d'une maison. Ce n'est pas une décision qu'il faut prendre à la légère. Prenez votre temps, elle va se rendormir. D'ailleurs, elle dort quasiment tout le temps, elle n'a plus beaucoup de force, vous savez.

S'il faut en croire leur mouvement de recul, ils en avaient assez vu. S'ils n'étaient pas muets, ce n'était pas des causants. La rondouillarde vendeuse suivait, un peu désemparée, et ne disait rien non plus, mais on sentait qu'elle allait sous peu se gratter la tête. Son sourire s'assombrissait à mesure que l'on avançait. La petite chambre, style placard à balais, on ne s'y est pas tellement attardés. L'autre était si froide que les trois sont demeurés dans l'entrée, n'y jetant qu'un coup d'œil rapide. On sentait qu'une certaine démobilisation s'installait dans les rangs.

— Au fond, ce qui compte, ai-je souligné, ce sont les fondations. Une maison bien plantée, ça permet au reste de se tenir debout. Après, c'est matière de goût, on aime, on n'aime pas, ça tient à peu de choses...

Et ce sont trois tortues apeurées, têtes rentrées dans leurs coquilles qui ont, marche par marche, en tâtonnant, entamé la descente aux enfers. Effectivement, la cave n'avait que cinq pieds de hauteur et, je le jure, ce n'est pas nous qui l'avions abaissée. Courbés comme des bossus, les deux acheteurs éventuels et la vendeuse se sont pressés au bas de l'escalier pour attendre que je fasse de la lumière.

— Merde ! ai-je grogné, en me secouant le pied. C'est un tuyau qui coule un peu, à peine, vous voyez, leur ai-je fait, désignant du doigt l'endroit d'où le liquide s'échappait.

Pour ce qui était des pièges à souris et des quelques petites crottes noires parsemées ici et là, je leur ai bien recommandé de ne pas s'en formaliser, les assurant que depuis trois semaines on n'avait plus vu ni rat ni autre bestiole d'ailleurs... Pas même des maringouins, ai-je ajouté en ricanant. Pendant qu'ils enfilaient bottes et manteaux, je leur ai signalé qu'ils n'avaient même pas jeté un coup d'œil deuxième. Ils se sont contentés de soulever les épaules. Ça m'a peiné, car Julie et la Clo en avaient vraiment mis un coup dans leur dépotoir. Peut-être, me suis-je dit, qu'elles auront plus de chance la prochaine fois... Quand ils ont finalement posé un pied dans la porte, Rosie s'est encore une fois étouffée et, vivement, la dame a accéléré le pas comme si un petit chien lui mordillait les mollets.

Je n'étais pas dupe au point de penser qu'on pourrait s'en tirer plusieurs fois avec un truc aussi gros. La vendeuse n'allait pas tarder à donner de nos nouvelles au proprio, commission oblige. Mais ce qui comptait pour nous, c'était de gagner du temps.

Sur ces entrefaites, Eugène s'est encadré dans la fenêtre et on s'est encore une fois battus avec la porte. On lui a crié, tous ensemble, de ne pas la refermer derrière lui, et Jean-Guy s'est amené avec un pinceau et un pot de décapant. J'ai essayé de ne pas trop regarder les bras d'Eugène, mais ils me sautaient aux yeux, ses tatouages. C'étaient des monstres effrayants, des dragons qui lançaient des flammes à travers la cuisine, et un gros cœur saignant qui, je l'espérais, signifiait que, malgré tout, Eugène avait le cœur tendre. Julie l'aimait bien, Rosie et Gracelle aussi, au fond c'était suffisant, de quoi me mêlais-je à la fin ?

Julie est montée, le gars aux tatouages sur ses talons. Avec Rosie, on a jasé encore quelques minutes, assis à la table de cuisine. Ensuite, j'ai réalisé qu'on n'avait pas revu Gracelle et je suis allé jeter un coup d'œil. Je n'ai pas fait la lumière, j'ai juste prêté l'oreille. Sa respiration de souris sifflait doucement près de l'oreiller, elle dormait comme un bébé. Je suis sorti sur la pointe des pieds.

— Elle dort dans ton lit, veux-tu que je la réveille ?

— Laisse, m'a murmuré Jean-Guy en riant, je m'arrangerai bien, va...

16

Je m'étais décidé à jouer ma dernière carte, celle que je gardais dans ma manche, pour continuer à croire que tout n'était pas fini. Les larmes de Rosie m'avaient stimulé. Pour sûr, il y avait eu du vilain. Et, si nous avions bénéficié d'un certain répit, il nous était apparu évident qu'avec le printemps qui pointait le nez les choses n'allaient pas s'arranger. Deux fois, nous avions frôlé la catastrophe. Ça tenait du pur miracle si nos boîtes ne s'empilaient pas déjà dans un gros camion jaune et si je n'avais pas eu à remballer encore une fois la première dent de Julie.

Quand la porte s'est ouverte, les yeux étonnés de l'épouse du propriétaire m'ont arraché de force à mes pensées.

— J'étais dans la lune, excusez-moi.

— Suivez-moi, mon mari vous attend, a-t-elle dit.

Je lui ai emboîté le pas. Il trônait derrière son grand bureau, enfoncé dans le cuir noir d'un fauteuil démesuré. J'ai attrapé la main poilue qu'il me tendait, l'ai serrée comme il se doit, juste assez et pas trop, exactement comme mes inquiets avaient appris à le faire, un derrière l'autre et en rigolant, quand ils devaient participer à des clubs de recherche d'emploi. Puis il est retombé dans son fauteuil. Il s'était moulé dans un col roulé bleu poudre, on pouvait deviner chaque os de son visage sous sa peau tendue, une peau jaune cierge aussi lisse que du papier glacé. Le proprio avait l'air épuisé.

— Comment allez-vous ? me suis-je informé.

Pendant qu'il levait une vague main dans ma direction en soupirant, elle, madame son épouse, prenait place à l'écart. Le teint basané, du feu dans le regard, les lèvres pincées, les genoux serrés, me regardant comme si elle se préparait à me dépecer.

— Et comment va votre chien ? j'ai demandé.

— Il fait une petite déprime, elle a répondu, avec un brin de détresse dans le regard.

Je lui ai dit que c'était bien dommage. Puis j'ai exprimé mes intentions, en guettant leur réaction, et surtout celle de la dame. Elle s'était avancée un peu plus sur le bout de sa chaise, les genoux toujours soudés l'un à l'autre, mais souriait maintenant, et le diable si de petits lampions ne s'étaient pas allumés dans ses yeux. Idem pour lui. J'ai donc poursuivi sur ma lancée, le cœur rempli d'espérance, étalant sans complexe le peu qu'en mes mains je possédais.

Au fond, tout ne tenait qu'à cette fichue idée dont je m'étais armé, qu'en tout cœur, fût-il aussi dur que le roc, devait bien subsister un filon d'or. Aussi je piochais, avalant la poussière, espérant atteindre cette veine aux reflets dorés sommeillant au fond de leur cœur. Mais j'ai vite déchanté, point de roc, point de filon, ces gens étaient de l'acier trempé. Plus j'avançais, déployant mes ailes transparentes, et plus leurs visages se rembrunissaient, tandis qu'en leur yeux les flammes s'éteignaient, comme si un obscur bedeau les recouvrait une à une, du cône métallique fixé au bout de sa grande perche. Qu'un sursaut de bonté en ces âmes je puisse susciter, après un moment j'ai compris que ça s'appelait rêver, mais je ne me suis pas senti vaincu pour autant.

— Mais tout de même, vous devez bien avoir quelque garantie à offrir ? a déclaré la dame.

Et moi d'en remettre, comme si je leur offrais la lune, leur demandant de me faire confiance, leur expliquant qu'ils ne risquaient rien, leur démontrant noir sur blanc qu'il n'y avait pas le moindre risque qu'ils perdent le moindre sou, et leur faisant miroiter, une main sur le cœur, tout le plaisir qu'ils ressentiraient à voir les choses différemment pour un fois.

— Nous faisons des affaires, monsieur. C'est ainsi, elle a sifflé, la vipère.

— Je vous comprends, ai-je répondu. Mais...

Et puis, plus un mot. Des sourires hypocrites, les pieds enfoncés dans le tapis... et la porte de sortie.

— Soyez assuré que, si nous avions pu... !

— Cela aurait été presque rien pour vous, et tellement pour nous, madame, j'ai murmuré, en la regardant droit dans les yeux.

Je fulminais en passant les vitesses, arrachant des grognements à la transmission. J'enrageais d'être si pauvre, j'en pleurais. J'ai roulé comme un fou, valsant comme un détraqué d'une voie à l'autre, fauchant les retardataires presque à bouffer du pare-chocs. Une fois sur la route secondaire, le cœur en charpie, j'ai laissé échapper un hurlement de rage. Etait-ce Dieu possible d'être aussi pauvre à mon âge ? Mais qu'est-ce que j'avais foutu, pour l'amour ? J'approchais d'un village et comme le recommandait la signalisation, j'ai ralenti. Je me suis glissé une main dans les cheveux, je me suis demandé encore une fois où j'aurais pu trouver de l'argent. J'ai refait le tour de mon jardin, pour la millième fois, n'y recensant rien d'autre que quelques fleurs, des pensées vagabondes, dont certaines qui me regardaient avec de petits yeux vicieux, et quelques mensonges aussi, enfin, rien que j'aurais pu monnayer, même pas pour quelques pièces. Rosie m'avait une nouvelle fois promené son bas de laine sous le nez, mais je m'étais répété « jamais, paix à mon âme ». J'aurais eu l'impression d'être un trousseur de vieux...

L'argent, je savais bien où il se trouvait, ce n'était pas un mystère. Un peu plus loin, en face d'une banque, j'ai appuyé sur les freins. Elle semblait plus jolie que les autres où j'avais mis les pieds. J'ai hésité un long moment, pour finalement me dire « pourquoi pas ? ». Peut-être étaient-ce les affiches qui m'avaient attiré : la petite famille avec le bébé dans le landau. Je ne sais pas. Les mots aussi sûrement, oui, encore les mots, qui s'étalaient sur toute la vitrine et qui recommandaient de ne pas s'inquiéter, d'entrer en toute confiance, et qui mentionnaient pardessus tout comment notre bonheur leur tenait à cœur : NOUS CROYONS

EN VOTRE AVENIR. C'était écrit en toutes lettres, et je me suis pris malgré moi à espérer, encore une fois... J'ai replacé ma chemise dans mon pantalon, j'ai vérifié que je n'avais pas les cheveux dressés sur la tête, j'ai respiré un grand coup, puis j'ai attrapé la rampe et j'ai sauté sur la première marche.

Le pingouin cravaté m'a répété mot pour mot ce que m'avaient raconté des dizaines d'autres. J'ai eu le sentiment d'assister à une reprise. Quelques paroles à peine avaient suffi pour que je comprenne que la dernière chose au monde qui risquait d'arriver, c'était que ce type se mette soudainement à croire en mon avenir. Et c'était pire encore que l'on peut se l'imaginer, j'étais déjà mort depuis longtemps, sans m'en être aperçu. Je suis sorti en geignant.

En tournant dans l'entrée, j'ai failli catapulter la gigantesque agente dans l'autre monde. Évidemment qu'elle tombait mal ! J'ai reculé ma Honda dans un crissement douloureux, claqué ma portière, et en deux pas j'étais près d'elle, la boucane aux naseaux.

— Toi, la grosse, ai-je craché, tu t'effaces, ça presse !

— Mais, monsieur...

— Débarrasse !

Pendant qu'elle s'engouffrait dans son auto, j'ai viré sur mes talons, me taillant une route vers l'affiche. On l'aurait crue plantée dans du beurre. Ce fut merveille de la voir s'envoler, d'entendre le craquement sinistre qu'elle émit quand elle se déchira par le milieu.

— Elle n'est plus à vendre. Terminé ! Enterré ! ai-je clôturé, lui montrant un doigt levé bien haut dans la fenêtre qu'elle avait remontée en vitesse.

Avant de refermer la porte de ma maison, je l'ai mitraillée une dernière fois du regard, puis j'ai foncé vers ma bouteille de scotch. Aussitôt dit, aussitôt fait. Le cul de la bouteille levé vers le ciel, comme un dragon enflammé, je me suis mis à cavaler d'une pièce à l'autre. Que ces vampires osent se montrer, qu'on essaie seulement d'y poser un pied, dans mon domaine ! J'étais prêt à tenir un siège, à crucifier sur place le premier chrétien venu. J'ai avalé d'un trait le quart de la bouteille, je me suis torché de la manche un filet qui me glissait du menton, puis j'ai reniflé un grand coup.

— Je vous aurai, mes salauds !

* * *

La première image qui m'est apparue en ouvrant un œil le lendemain, ce fut une triste bouteille vide, gisant à six pouces de mes yeux. Ensuite, un éclair m'a fendu le crâne en deux. Quelques secondes plus tard, la tête au-dessus du bol, je me vomissais et l'âme et les tripes en jurant qu'on ne m'y reprendrait plus, que c'était bien la dernière fois. Puis Jean-Guy m'a gentiment rappelé qu'on était samedi, et qu'il y avait du boulot...

— Tu en tenais toute une, hier, a-t-il déclaré, cependant que d'un sourire indulgent il me couvait.

Certains détails de la veille remontaient lentement à la surface à mesure que je réapprenais à respirer normalement. Sur le bord de m'effondrer, je compensais en avalant de l'air à grandes goulées. D'un regard inquiet, j'ai supplié Jean-Guy...

— T'inquiète pas, c'était plutôt drôle, il a fait.

Le café ne passait pas, je n'ai pas insisté. Des frissons me parcouraient.

— On y va, il a dit.

— Ouais, j'ai fait. À la guerre comme à la guerre !

On a commencé par le plus difficile. Il devait bien peser sa tonne, le poêle de Rosie, et on ne savait vraiment pas comment on allait pouvoir se coltiner un poids semblable sur trois cents mètres. C'est Jean-Guy qui finalement a trouvé. On l'a tout simplement grimpé sur un plancher à roulettes et, si ce n'est quand même pas gentiment qu'il s'est laissé amadouer, nous y sommes tout de même parvenus. De temps à autre, je voyais le fils de Rosie s'encadrer dans une fenêtre, à demi camouflé derrière un rideau. Dieu que j'étais heureux de lui faire la barbe ! Penser qu'il devait au moins ressentir un parcelle de honte me redonnait du courage, ça m'aidait grandement à éviter de trop me concentrer sur les points noirs qui, au moindre effort, venaient danser devant mes yeux.

La semaine précédente, en allant saluer Rosie un soir, je m'étais retrouvé devant une porte entrebâillée. Chose tout à fait curieuse, quand on connaissait les habitudes de ma vieille amie. Je m'étais avancé à tâtons dans le noir. Inquiet, on le comprendra. Le poêle était éteint. Il n'y avait pas l'ombre d'une lumière et je n'y voyais rien. Mais je ne me serais pas aventuré à allumer non plus, allez savoir pourquoi ! J'avais fini par repérer ma vieille amie. Ramassée sur elle-même, aussi déglinguée qu'une poupée de chiffon, avec des larmes qui brillaient sur ses joues.

— Rosie, mon doux, que s'est-il passé ? Pleure pas comme ça... Viens. Mon Dieu que j'aime pas ça quand tu pleures.

— Il a vendu la maison...

Elle m'avait tendu les dépliants que son fils lui avait laissés. Blanche comme un drap, elle était. Comme si en plus de la maison, le salaud lui avait chipé tout son sang. Et aussitôt, le mien n'avait fait qu'un tour. Je l'avais prise dans mes bras.

— Je t'amène avec moi, Rosie.

Elle avait bien essayé de me dissuader, par la suite, disant je ne lui devais rien, qu'elle n'était pas la seule, que d'autres avant elle... Enfin, tout un flot de paroles que j'avais balayées du revers de la main. Ce soir-là, on avait discuté une partie de la nuit comme deux adolescents projetant de s'installer en appartement. La chaleur du poêle, ronronnant à nouveau dans cette étrange nuit, nous avait finalement soudés pour l'éternité.

Rosie agitait maintenant les bras, comme un policier au coin d'une rue, nous indiquant où déposer les meubles et les boîtes que l'on transportait.

— La commode, vous la posez près du mur de gauche.

J'avais bien essayé de la convaincre de s'installer dans la dernière chambre du bas, mais elle n'avait eu d'amour que pour celle du haut, plus près de sa petite-fille, et aussi du bon Dieu, j'imagine. Quand on s'est arrêtés pour dîner, on avait déjà rempli sa chambre, une partie du couloir, le garage, et il y en avait encore à venir. Je flageolais sur mes pattes – mais je ne pouvais m'en prendre qu'à moi-même – je m'épongeais des sueurs froides, mais je ne ressentais aucun regret pour ma solitude qui, cette fois, s'envolait définitivement.

— Ne t'inquiète pas, m'a-t-elle murmuré, on fera une vente de garage.

Il devait bien être deux heures quand Julie a monté la dernière boîte. Je trouvais qu'elle avait joliment bonne mine, ma fille. Eugène rigolait. Il est évident que l'innocent ne se rendait pas compte du sort qui l'attendait, Julie et Rosie ensemble, comme ça, porte à porte, pauvre Eugène ! Ça ne cessait de m'intriguer cette relation qu'elles partageaient toutes les deux. Il m'arrivait quelquefois d'en être même un peu jaloux, surtout les soirs où Julie, frileuse, allait s'emmitoufler dans la chaleur de Rosie. C'était étrange d'imaginer ces deux corps si différents entremêlés dans un même lit. Peut-être que Rosie me laisserait essayer si j'osais le lui demander, me disais-je.

Jean-Guy, Eugène et moi, on s'est ensuite rembarqués dans le camion. J'ai laissé le volant à Jean-Guy. Le cœur me remontait régulièrement dans la gorge. Mon estomac me faisait salement payer mes écarts de la veille, j'avais bien hâte de me retrouver à l'horizontale, mais on n'y était pas encore.

Dire que Gracelle était contente serait à des années-lumière en dessous de la vérité. Elle explosait de joie, la souris.

Hihihi ! Hihihi !

Sa tête sautillait sur ses épaules, ses yeux se consumaient dans la braise, elle appelait sur nos âmes les bénédictions célestes. Elle était littéralement transportée au septième ciel.

Une autre médaille qu'on avait soufflée au diable juste avant qu'il ne se la pique sur le revers de sa veste. Comme bien des histoires, celle-là aussi avait débuté par une lettre, mais une lettre timbrée et recommandée. Effrayante à regarder. Le saligaud de propriétaire exigeait cinquante dollars de plus par mois pour son taudis, ce trou à souris ! La lettre avait laissé Gracelle aussi blanche que le suaire du Christ. Et je m'étais dit pourquoi pas, pauvre Gracelle, le bon Dieu me le rendra, enfin des histoires de la sorte, de la bouillie plein le caniveau... Mais qu'est-ce qu'il m'arrivait, sapristi ? De la pure folie, si vous voulez mon avis. Mais enfin ! La seule chose rassurante dans ce dernier déménagement de grand-mère, c'était que de chambre nous n'avions plus à offrir, car nous étions bel et bien en train de remplir la dernière : la petite chambre froide coincée sous l'escalier, à laquelle nous avions ajouté un calorifère pour en faire la petite chambre chaude de Gracelle.

Ainsi fut donc fait, et le bon Dieu dut s'en frotter les mains quand douze pattes sous la table se glissèrent à l'heure du souper. Une seule manquait à l'appel. Où était-elle ? Se doutait-elle, cette passionnée fugueuse, qu'en jonglant avec son destin elle risquait aussi de briser le mien ?

Après la destruction de la cabane, j'avais pris le temps de réfléchir et j'étais revenu à de meilleurs sentiments, que j'avais confiés, à maintes reprises, au répondeur de la Jo qui, toutes les deux minutes, me fermait la ligne au nez.

Je commençais à trouver qu'à me pardonner elle mettait bien du temps. Il m'arrivait de plus en plus souvent de me demander si, par malheur, un petit diable n'était pas venu brouiller les cartes.

Plus tard, après la vaisselle et un dernier coup de torchon, tous s'égaillèrent de part et d'autre, et ainsi me retrouvai-je dans une maison aussi calme que si je l'habitais tout fin seul. Les émotions ayant sans doute entamé généreusement sa frêle énergie, Gracelle s'était écroulée dans son lit, une couverture ajustée au ras de son maigre cou, son chat Câlin en travers des genoux. Julie et Rosie étaient montées et Eugène, qui s'était retrouvé coincé entre Jean-Guy et moi, n'avait pu résister que quelques minutes à l'envie qui le brûlait d'aller les rejoindre. C'est quatre à quatre qu'on l'avait vu grimper les marches, le feu aux tatous. Plus tard, Jean-Guy avait proposé que je l'accompagne, l'idée étant d'aller s'avaler une bière ou deux.

— T'es fou ou quoi ? avais-je répondu.

Ainsi j'étais, me tâtant dans un creux de sofa, y croyant à peine, pourtant, c'était bien vrai : la maison débordait, on l'entendait respirer, se gonfler une énorme poitrine de satisfaction. J'y aurais mis le feu dans l'instant si on s'en était venu me l'enlever, j'en étais sûr...

Plus tard, après avoir griffonné de vagues explications sur un bout de papier, je suis quand même sorti. J'étais abruti de fatigue, chacun de mes muscles criait sa douleur, mais j'avais encore plus besoin de bouger que de me reposer. J'ai tourné en rond un bon moment dans ma banlieue en me demandant si je n'avais pas imaginé toute cette journée. Si d'une certaine façon je n'étais pas endormi, rêvant que je déménageais des sorcières. La Honda se réchauffait doucement, le moins que je puisse dire, c'est que ça trottait généreusement dans ma tête. Le gouvernail m'avait échappé depuis belle lurette. J'ai roulé longtemps en mijotant dans mes pensées, puis les odeurs de la ville sont venues me picoter le nez. Je me suis détendu et j'ai laissé la Honda tailler sa route, elle la savait aussi bien que moi.

Cette fois, je suis descendu de l'auto sans hésitation et suis monté en courant. Je me sentais le cœur parfumé. Des voix brouillonnes me parvenaient au travers de la porte. Puis la tête d'un type est apparue, un type que je n'avais jamais vu.

— Est-ce que Jocelyne est là ? j'ai demandé.

— Non, elle n'est pas ici, il a dit.

Il avait parlé avec un accent d'outre-mer, je l'ai fixé en me grattant la nuque, puis une fille blonde s'est encadrée derrière lui.

— Elle nous a prêté son appartement pendant notre séjour ici. Nous partons demain. Aimeriez-vous lui laisser un message ?

— C'est pas la peine, j'ai murmuré, soulagé. Je repasserai quand elle sera revenue.

Je n'avais pas envie de rentrer chez moi tout de suite, aussi me suis-je laissé attraper par une enseigne lumineuse en bordure de l'autoroute. La musique s'échappant de l'établissement enveloppait le stationnement d'un bruit sourd. L'air fétide m'a saisi à la gorge dès l'entrée, sans que je me décide pourtant à rebrousser chemin. J'ai visé le seul tabouret encore libre et j'y suis grimpé. Tous les regards étaient tournés vers le même endroit. J'ai fait comme les autres, j'ai passé ma commande, appuyé sur le comptoir, cependant qu'une rousse se brassait un large derrière vert, jaune et bleu, sous les réflecteurs. Quelques minutes plus tard, je ressortais sans avoir entamé ma bière. La nuit m'a ouvert les bras. Le ciel était bas, sans lune, et aussi noir que de la suie, mais pas aussi triste que le bar d'où je sortais.

J'ai roulé tranquillement dans le nuit, sans musique, accompagné seulement du ronronnement de mes pensées, abruti de fatigue. C'est ainsi qu'au petit matin, après m'être laissé bercer par des routes inconnues, j'ai immobilisé la Honda devant un restaurant endormi.

— On va avoir une belle journée !

— Une merveilleuse journée, ai-je répondu, m'apprêtant à demander des œufs, du bacon et beaucoup de café.

17

Quelques jours plus tard, j'ai eu droit à une seconde lettre de l'école. Cette fois, on m'invitait à me présenter dans les plus brefs délais. On ne m'en disait pas plus, le ton était légèrement autoritaire, enfin on semblait s'attendre à ce que je ne tarde pas en chemin, ce qui assurément m'incitait à l'école buissonnière. Mais je n'ai pas osé. J'ai donc appelé, histoire de ne pas aller me trimballer là-bas pour trois fois rien.

Depuis le soir des copies jetées au feu, l'école me laissait quelque peu indifférent. Non pas que j'eusse apprécié que Julie abandonne ses cours, mais disons que ça ne m'aurait pas allumé un incendie dans la cervelle. J'avais confiance en elle et, si son chemin ne passait pas par l'université, je n'allais pas en faire une syncope. À quoi cela aurait-il servi que je la pousse de force sur un chemin qui n'était peut-être pas le sien ? Marcher à ses côtés me suffisait, ça me faisait tout bon d'être son Papito. Mais j'étais quand même curieux d'entendre ce que le directeur avait à me raconter. Je me suis allumé la première cigarette de la journée en attendant que l'on décroche à l'autre bout.

— Je vous passe le directeur, elle a dit. Veuillez attendre un instant.

Après les politesses d'usage, d'une voix suave, le type s'est lancé. On voyait tout de suite qu'il savait y faire, les gants blancs, les routes secondaires, il y allait vaguement, tout en gardant un œil sur son destin, et plus il avançait, plus il me plaisait. J'aimais bien ce type.

— Est-ce que vous portez un complet présentement ?

— Oui, il a fait, pourquoi vous me demandez ça ?

— Et un truc en tissu, ajusté autour du cou ?

— Oui, oui, une cravate, il a mentionné.

— Alors, je désire porter plainte, j'ai déclaré.

En riant assurément, sur un ton badin, un tantinet moqueur, un peu bizarre le papa de Julie ! Le danger que pouvait représenter un machin serré autour de la gorge, il n'y avait pas pensé. Pour ce qui est de l'influence des couleurs fades, comme le gris, le bleu poudre, le noir ou le beige, sur la créativité des enfants dont il avait charge d'âme, il m'a semblé que ça ne lui avait pas traversé l'esprit non plus. L'aspect de pingouin endimanché, je l'ai à peine effleuré, à la blague bien sûr... Quand il s'est étouffé, crachant ses poumons et m'injectant ses microbes dans l'oreille, je me suis contenté de repousser le téléphone en attendant que la crise soit passée.

— Fumeur ? j'ai questionné.

— Depuis quarante ans ! Si vous saviez...

— Tant et aussi longtemps que vous ne fumerez pas dans l'école, tout ça ne regardera que vous. Les gens sont devenus tellement intolérants, vous ne trouvez pas ?

Un silence s'est installé, comme une plume flottant dans l'air... et j'ai compté les moutons pendant qu'encore une fois il était pris d'une quinte de toux.

— Pour ce qui est de la lettre, au fond, vous avez peut-être raison. Seulement...

— Je lui en glisserai tout de même un mot, j'ai assuré.

Puis il a raccroché et je me suis allumé ma deuxième cigarette de la journée en sautillant vers la cafetière.

Quand Julie est arrivée à la fin de l'après-midi avec Eugène suspendu à son bras, et la Clo dans son dos, la lettre avait déjà pris le chemin du poêle de Rosie. Mais soyons honnête...

Les ongles noirs, c'est du passé, mais décrire la couleur de ses cheveux, alors là, difficile ! Du rouge, c'est certain, un peu de vert, pourquoi pas, un brin de noir, évidemment, et si peu de jaune et de bleu que ça ne vaut pas la peine d'en parler. Deux paires de collants : la première, noire, et la deuxième, verte, avec des trous savamment percés dedans pour laisser filtrer la couleur de celle du dessous. Quelle élégance ! Et pour le reste, un peu de tout : bottines noires à lacets bleus à droite et rouges à gauche, mon vieux chandail gris comme une chasuble jusqu'aux genoux, et un cuir avachi par-dessus tout ça, ramassé je ne sais où, du genre arrivé en fraude après un tour du monde dans un conteneur. Et ce n'est pas tout, mais arrive un moment où il faut savoir s'arrêter. Je ne dirai qu'une chose pour terminer, c'est qu'elle était belle, merveilleuse, unique, délicieuse, et qu'elle l'est toujours. Un bras coupé pour elle, ce n'aurait été qu'un bras de moins, tout comme un œil arraché...

— Bonjour Julie, j'ai dit en la prenant dans mes bras. Est-ce que tu sais à quel point tu es belle et combien je t'aime ?

Elle a promené son sourire autour de mes yeux, s'est éloignée un peu, m'a regardé à nouveau.

— Tu m'aimes tant que ça, Papito ?

— Plus que tu ne pourras jamais l'imaginer !

Des sourires moqueurs giclaient de partout, et j'ai suggéré que l'on s'arrondisse autour de la table, et que l'on se sente heureux tous ensemble. Un point, c'est tout.

Ce qui fut fait d'ailleurs, et de la plus merveilleuse façon ! Rosie nous avait cuisiné une poule à l'ancienne, et c'est peu dire que l'on s'agrippait à nos chaises pour ne pas s'envoler sur le fumet qui voyageait dans la pièce. Je ne perdais pas un mot de tout ce qui se racontait, mon cœur battait fort dans ma poitrine. Entre chaque bouchée, je m'arrêtais pour savourer ce bonheur étrange. On se serait facilement crus cinquante ans en arrière autour de cette table. Si ce n'avait été de la télévision qui crachait ses inepties en sourdine, l'illusion aurait été totale. Vraiment je me sentais bien, je n'étais pas loin de me prendre pour un patriarche...

À la fin du repas, je me suis retrouvé mollement accoudé au comptoir avec un linge à vaisselle dans la main. Câlin, le chat de Gracelle, louvoyait entre nos jambes, s'arrêtant devant chacun pour qu'on le chatouille sous le menton. Eugène, puisque c'était son tour, lavait les assiettes, un air grave imprimé sur son front. Le boulot n'était pas bien rude, au nombre que nous étions. Et le diable si nous ne faisions pas exprès d'étirer le plaisir. Toute bonne chose ayant une fin, on y est tout de même parvenus, au dernier coup de torchon. Chacun s'apprêtait à aller vaquer à ses occupations quand une lumière a balayé la cuisine, suivie aussitôt du claquement d'une portière.

— C'est un monsieur que je ne connais pas, a dit Julie, comme si un inconnu dans notre cour était une chose quasiment inimaginable.

Curieux, j'ai moi-même jeté un regard par la fenêtre et je l'ai reconnu sans peine. Même que j'étais surpris qu'il ait tant tardé à nous payer une visite.

— C'est le proprio, ai-je lancé à la ronde.

Les regards pointus qui l'ont accueilli sur le pas de la porte n'ont pas semblé le désarçonner le moins du monde. Il a tendu sa main à la ronde, même qu'on aurait dit qu'il s'attendait à ce qu'on la lui baise. Je l'aurais bien laissé planté là, debout dans l'entrée, mais Rosie s'est empressée de lui indiquer une chaise. Jean-Guy s'est retiré au salon et Câlin, sous le divan. Les autres n'avaient pas bronché d'un poil. Probablement que le propriétaire aurait préféré un brin d'intimité mais, voyant bien qu'il lui serait impossible de décimer la meute, il s'est décidé à parler, sans autre forme de préambule.

— On m'a dit que vous auriez refusé que l'on visite la maison. J'ai pu, effectivement, constater que vous aviez enlevé l'affiche à l'avant. J'aimerais avoir des explications.

J'étais muet. Mon cœur palpitait, une incommensurable nervosité me contractait la poitrine. J'étais sidéré par la présence du proprio, il me faisait l'effet d'un cancer forçant le seuil de mes poumons. J'ai regardé tout un chacun à tour de rôle, je n'acceptais pas que l'on touche à un seul cheveu de leurs têtes, point final. J'étais leur ange gardien et ils étaient le mien. Inexplicable, mais vrai ! Je crois bien que je me sentais investi d'une responsabilité ou que, tout simplement, j'étais devenu fou.

— J'ai besoin de cette maison. Pas question que vous la vendiez.

Que ces mains alourdies de pierreries arrachées à la sueur des pauvres puissent détenir un tel pouvoir m'arrachait des cris silencieux d'une rare violence contenue. Qu'un simple geste de ce vulgaire commerçant puisse déplacer autant d'air m'était totalement insupportable.

— D'ailleurs, ai-je continué, sachez que jamais je ne quitterai cette maison de mon propre gré ! Pour me sortir d'ici, vous allez devoir appeler la police !

— Mais qu'est-ce que c'est que cette histoire ? Écoutez, vous saviez très bien que la maison était à vendre...

— Je le sais très bien, puisque je vous ai même offert de l'acheter.

— On ne va pas revenir là-dessus, il a dit. Je pensais qu'on aurait pu discuter entre adultes, mais je vois que c'est impossible...

— Je ne sais pas ce qui me retient... Christ que vous êtes sans-cœur, monsieur !

Gracelle regardait le bonhomme dans les yeux. Les autres le fixaient aussi, Julie, la Clo et Eugène, et au bout d'un moment, j'ai réalisé que même Jean-Guy s'était mis de la partie, se tenant derrière Gracelle. Tous le dévisageaient comme s'ils se préparaient à le dévorer. Curieusement, le proprio ne bronchait pas, à peine s'il clignait des yeux, le regard perdu quelque part dans la direction de Rosie, qui, elle, s'était cloîtrée dans son âme, gardant la tête droite et les mains sur les cuisses. Depuis le début, elle n'avait pas prononcé une seule parole. Ce fut donc une surprise de la voir soudainement me pointer du doigt :

— Je peux te parler un instant ? demanda-t-elle, tout en m'indiquant la chambre de Gracelle où je la suivis.

J'enrageais en enfilant la rue, avec Jean-Guy sur mes traces. Je me trimballais une tête de mauvais élève, encore heureux que Rosie ne m'ait pas mis à genoux dans le coin de la cuisine. À sa demande, je lui avais donné carte blanche, mais je n'étais plus certain d'avoir fait une bonne affaire. Elle m'avait carrément foutu à la porte, me suggérant fortement de ne pas revenir avant une bonne heure. On s'est arrêtés un instant dans un restaurant et, pendant que Jean-Guy lançait des rayons verts sur des petits bonshommes étranges, je suis allé chercher deux cafés. Je l'ai regardé jouer, ne comprenant pas bien quel plaisir il retirait de cette machine. Mais, comme ce n'était pas la seule chose que je ne comprenais pas, ça ne m'a pas inquiété le moins du monde...

Après sa partie, on est sortis et on a longé quelques rues lentement, s'arrêtant un peu partout pour fouiner, discutant de tout et de rien pour tromper notre impatience. L'hiver, on le sentait, ne tenait plus qu'à un fil et le temps doux incitait à se traîner les pieds. Il demeurait bien quelques monticules de neige sale ici et là, mais je ne donnais pas cher de leur peau. Jean-Guy m'a entouré l'épaule et je n'ai pas réagi. Ce n'était pas la première fois, sauf qu'en marchant dans la rue ça avait, comment dire, une saveur différente. Je ne serais pas allé jusqu'à lui tenir la main, mais le geste ne me déplaisait pas. Un peu d'amitié pour me réchauffer le cœur, je n'étais vraiment pas en état de cracher dessus.

— Je crois que je vais acheter un bateau, il a déclaré.

— Ah oui ?

— J'en ai toujours rêvé... Avant, je pouvais pas, mais maintenant...

— Tu connais ça, les bateaux ?

— Non, mais je veux juste me coucher dans un grand lit pointu, avec des hublots tout autour, et entendre le bruit des vagues sur la coque.

— C'est une belle idée, une très belle idée, Jean-Guy !

— Je pense, oui...

— Et je pourrai y aller aussi ? j'ai minaudé.

— Ben sûr, il a fait, en souriant.

On a hésité un instant devant la voiture du proprio luisant comme un corbillard dans la nuit. Ça faisait quand même une bonne heure, alors...

Rosie avait l'air détendu, et le proprio aussi. Il finissait un morceau de tarte au sucre et semblait l'avoir apprécié. Jean-Guy s'est dirigé vers la salon et s'est installé devant la télévision. J'ai promené un regard étonné aux alentours, d'une manière ou d'une autre, ils se fendaient tous plus ou moins la gueule. Seule la mienne pendait encore dans le vide. Puis le proprio s'est levé. Il a plié quelques feuilles qu'il a ensuite déposées dans une poche à l'intérieur de sa veste.

— On fait comme on a dit, a conclu Rosie en lui tendant son manteau, dans lequel il a inséré les bras.

Quand il m'a présenté la main, je n'ai pas eu d'autre choix que de lui tendre la mienne.

— Vous voyez, il a dit, finalement tout s'arrange !

— Vous n'oubliez pas quelque chose ? a demandé Rosie, comme il allait poser la main sur la poignée de la porte.

— Ben oui, c'est vrai, le chèque ! il a déclaré en se tapant le front. Où avais-je la tête ?

Une fois la porte refermée pour de bon dans son dos, je me suis retourné vers Rosie et Gracelle et, aussi bien que je le dise, je les aurais découpées en morceaux si elles ne s'étaient pas immédiatement mises à table...

18

Le soleil éclaboussait tout. C'était au-delà des espérances. Le plus chaleureux printemps que l'on puisse imaginer nous tombait dessus en gerbes éclatantes, vraiment on n'en revenait pas. Nous étions à peine au milieu d'avril, mais de quelle jolie façon ! Avec quelle énergie, nom de Dieu ! Jamais on n'aurait pu imaginer qu'un nuage puisse avoir l'idée de venir assombrir une si merveilleuse journée. On sentait qu'on pouvait s'y fier, qu'elle ne nous laisserait point tomber. Quelle journée !

J'avais pourtant, malgré cette sensation de plénitude, des relents d'inquiétude dont je n'arrivais pas à me débarrasser. Tous nous nous réjouissions, sauf Jocelyne qui continuait à s'entourer de mystère et à me laisser patauger dans la mélasse. Désormais, quand je lui parlais dans mon cœur, je voyais une taupe et des souterrains noirs...

On avait décidé de refaire une beauté au domaine «La Roselle», comme on se plaisait à l'appeler, en l'honneur des deux grand-mères qui, par leur sagesse et quelques billets verts, avaient permis qu'enfin on s'y sente chez soi. Les papiers avaient en effet été signés dans les semaines qui avaient suivi la visite du proprio. C'est ainsi que tout un chacun, à part égale, nous étions devenus copropriétaires. Pour tout dire, je m'en grattais encore les poux. On m'avait assigné au garage, d'où je devais extraire tout ce qui serait vendu sur la place publique, c'est-à-dire au bout de l'entrée. J'avais trouvé injuste qu'on m'enferme ainsi par une si belle journée, mais les ordres de Rosie étaient sans appel. J'étirais cependant au maximum les moments sous les chauds rayons du soleil. Le garage regorgeait d'objets inimaginables que j'entassais pêle-mêle au bord de la rue, pendant que la colonelle y apposait des prix sous le regard curieux de quelques passants matinaux. De temps en temps, je m'épongeais en regardant Gracelle, qui plantait déjà quelques fleurs dans une terre noire et odorante que nous étions allés acheter la veille.

— Elle vont geler, Gracelle.

— Nan, elle a fait. C'est l'été... tu vois pas ?

Je crois que l'idéal aurait été des fleurs en plastique. Eugène s'était contenté de sourire. Il semblait bien s'amuser. Faut dire qu'il ne se donnait même plus la peine de faire semblant : il dormait, mangeait et se lavait à la maison depuis un bon mois maintenant. Son sort cependant reposait au creux des mains de Julie et j'espérais, pour lui, qu'elle était du genre à aimer pour toujours, mais au fond je n'en savais rien. Ma fille était pour moi, même s'il m'était impossible de l'aimer plus, une lointaine contrée qu'en rêve je visitais. Peut-être en était-il ainsi des relations père-fille, quand celle-ci était occupée à devenir une femme ? Plus souvent qu'autrement, c'était à Rosie que je demandais d'arroser d'un peu de lumière mon ignorance de père. Tout ce qui m'importait, c'était que Julie soit heureuse et, à ce que je voyais, la belle rayonnait, alors je n'insistais point. Quel père aurait pu se glorifier d'avoir déposé de si riches présents aux pieds de sa fille ? Deux grand-mères, aussi jolies que sorcières, et un coin merveilleux où vivre ses amours...

Heureusement qu'Eugène était venu me prêter main-forte, car j'avais été à deux doigts d'esquinter la table qui refusait carrément de se joindre à la fête. Quand on l'avait enfin sortie des décombres, c'est en vainqueurs et sous les bravos que nous étions allés la déposer dans la cour arrière. Rosie, alertée par nos cris joyeux, s'était amenée, serrant sous son bras une nappe en plastique parsemée de fleurs multicolores.

Le premier café du printemps. La première fois de ma vie qu'un coin de la planète m'était légalement dévolu. C'était pure merveille que de goûter langoureusement et le café et le soleil. La colonelle avait étiré les jambes et, pour l'instant, semblait se détendre. Même si une flamme dans son œil laissait présager que la trêve serait de courte durée, le plaisir de la voir offrir ainsi ses vieilles rides au soleil se rajoutait au mien, déjà à peine soutenable...

Comme je l'avais imaginé, les ordres n'ont pas tardé à pleuvoir de nouveau sur nos têtes, et c'est à quatre pattes dans la haie de cèdres que je me suis rétamé, y extirpant les reliquats de l'hiver, enfouis là par le vent. Malgré la concentration qu'à mon travail je mettais, un coin de mon cerveau à envoyer des ondes sans cesse s'occupait. J'espérais que quelques-unes l'atteindraient, qu'enfin elle se montrerait le bout du nez. La dernière fois que Jocelyne avait donné signe de vie, elle m'avait semblé être sur la corde raide. Elle parlait vite et bizarrement, comme pour cacher ses pensées, aurait-on dit. C'était à la fois étrange et surprenant.

— Parle-moi ! Explique-moi !

— Je ne peux pas pour l'instant. Fais-moi confiance. Ne ramène pas tout à toi.

Qu'elle ait posé ses pieds crochus dans quelque saleté n'avait rien de vraiment étonnant, je l'avais toujours connue ainsi. Je ne me souvenais pas de l'avoir jamais vue sans un sacré problème urgent à régler. Mais cette voix enrouée, presque inaudible, c'était une chose que je ne lui connaissais pas, et ça me giclait des frissons dans le cœur. Et, si ça me calmait l'esprit de n'être pas la seule cause de ses malheurs, j'enrageais tout de même d'être tenu à l'écart.

Elle appelait cependant une fois la semaine. Deux peut-être. C'était toujours ça. Elle parlait à Julie, qui passait ensuite l'appareil à Rosie. Elle n'avait jamais plus que quelques secondes à m'accorder quand mon tour arrivait, elle ne me disait presque rien en fait, quelques mots à peine rassurants, pas de quoi faire rêver à des châteaux en Espagne... Une gigantesque crise de nerfs accompagnée d'une grandiose colère aurait sûrement pu avoir des effets positifs, mais je préférais faire confiance au destin, quitte à lui donner un coup de main quand le temps serait venu.

Elle n'était d'ailleurs pas la seule à jouer à la cachette. Je savais qu'ici même au domaine « La Roselle » des choses s'étaient tramées dans mon dos. Des messes basses, des téléphones et des airs entendus, puis la disparition subite de Julie, soi-disant chez la Clo, mais pourtant impossible à rejoindre. Mon petit doigt... comme disait maman Milie. Au simple tiraillement sur leurs visages quand à les questionner je m'évertuais, il était facile de deviner que quelques-unes savaient. Dans leurs sourires entendus et leurs yeux qui se voilaient, je pouvais facilement deviner que toutes les femmes de «La Roselle», autant qu'elles étaient, me mentaient. Il n'y en avait pas une seule à qui j'aurais accordé le bon Dieu sans confession. Et Julie n'était pas en reste. Celle-là, doux Jésus, celle-là !

Après le repas, quartier libre fut donné à Julie et Eugène qui s'en sont allés, la poudre aux fesses et sans se retourner. Jean-Guy aussi devait partir, mais lui, à regret, contrairement aux deux autres. C'était le moment du partage des biens avec son ex-épouse et, bien qu'il n'ait rien désiré garder de son ancienne vie, elle avait insisté pour que le tout fût exécuté dans les règles. Gracelle roupillait déjà depuis un bon moment pendant que Rosie s'activait à je ne sais trop quoi dans la cuisine. C'est ainsi que, sous le soleil généreux, j'entamai seul un tour du proprio.

Pour le moment, les fleurs de Gracelle tenaient le coup, mais je ne doutais pas du sort qui leur était destiné. Les pauvres. Il ne me restait qu'à enlever les branches mortes qui empêchaient la haie de capter tout ce soleil qui dessus lui coulait. J'ai pensé un instant à aller acheter un de ces outils électriques dont j'avais vu plusieurs faire usage, mais juste à l'idée du bruit que cette machine allait me gicler dans les oreilles, j'ai laissé tomber. Je me souvenais très bien du monstre rouillé que Rosie avait déposé dans le garage à l'automne et, ne l'ayant pas vu apparaître dans le bazar, j'ai décidé de partir à sa recherche. Je n'ai pas été long à mettre la main dessus, maintenant qu'on y voyait un peu plus clair dans le garage. Le sécateur n'avait plus rien d'un sécateur et faisait peine à regarder, mais ce n'était pas impossible de lui redonner un second souffle. L'idée de redonner vie à cette vieille chose me plaisait assez. Armé d'une canette d'huile, d'une guenille et d'une lime, je me suis assis dans un carré de soleil, le ciseau géant en travers des genoux. Une grosse heure s'est écoulée à ainsi triturer la chose de tout bord tout côté. Quand j'ai enfin levé l'outil dans la lumière, on pouvait s'y mirer. Placé dans un certain angle, les lames lisses et brillantes captaient les rayons du soleil.

Je me suis amusé un moment à diriger ce point lumineux entre les briques rouges. Mon sécateur semblait si coupant maintenant que, sur le côté tranchant, je n'aurais pas risqué un doigt. D'ailleurs, au premier essai, il m'a taillé en deux une mince feuille de papier aussi sûrement que si j'avais utilisé un lame de rasoir.

Elle nous entourait des quatre côtés, la haie, j'avais donc le choix, ce n'était pas le travail qui manquait.

— Bravo ! m'a soufflé Rosie, incrédule.

— Magnifique, n'est-ce-pas ? On dirait presque que ça sort du magasin.

De temps à autre je m'arrêtais et je me retournais pour m'imprégner de l'image de la maison qui semblait flotter dans une bulle transparente, où des rayons violacés venaient se diluer. C'était merveilleux, comme si j'habitais un rêve. À mesure que j'avançais, j'amoncelais les branches que j'avais coupées, pour aller ensuite les jeter sur les braises du feu allumé dans un baril près du garage. Clic ! Clic ! Les branches tombaient à mes pieds, mon ciseau géant faisait des merveilles, mais je n'arrivais pas à atteindre les branches mortes et jaunies du centre. Il m'aurait fallu une cisaille, un petit truc dont je ne savais pas le nom exact, mais que je savais par contre où trouver. J'irais voir plus tard, je me suis dit, pour l'instant je n'avais nulle envie de m'arrêter. J'ai dû poursuivre mon travail pendant une bonne heure et quand je me suis arrêté, je le dis humblement, c'était de toute beauté ! Un alignement presque parfait. Eh ! que c'était joli ! Pour tailler le dessus de la haie, j'avais maintenant besoin de l'escabeau. Je me le suis trimballé jusqu'à l'endroit précis où je voulais commencer et j'ai décidé de prendre une minute ou deux, le temps de souffler un brin et d'en allumer une, pourquoi pas ? Je n'étais pas payé à l'heure, que je sache.

Rosie s'est amenée avec une bière, juste comme je prenais place près de la table que nous avions déposée à l'arrière de la maison.

— Merde, c'est ma dernière cigarette, j'ai dit.

En fait je n'avais plus envie de travailler. La bière, une cigarette, le soleil, la maison, la journée qui avançait doucement, ma vielle amie, et son bras sur lequel ma main s'était abandonnée.

Je me suis levé, j'ai placé ma chaise devant la sienne et je me suis assis, mes genoux contre les siens. Je lui ai demandé de me regarder dans les yeux et de me dire toute la vérité.

— Rosie, est-ce que tu sais des choses sur Jocelyne que je ne saurais pas ?

— Je te jure que je ne sais rien, mais je suis convaincue qu'elle va revenir.

— Et Julie, tu crois qu'elle est vraiment allée chez la Clo ? Elle n'a pas de problème, j'espère ? !

— Je suis certaine qu'elle a menti, mais je te jure que je ne sais pas pourquoi. Sur mon cœur, elle a ajouté, croix de bois, croix de fer, que je meure si je mens !

— Merci, j'ai dit. Je vais aller acheter une petite cisaille et des cigarettes, maintenant.

— Prends le temps de finir ta bière quand même.

Voulant à tout prix éviter la cohue du centre commercial, je me suis arrêté à la quincaillerie la plus proche. Le type portait une blouse verte qui lui arrivait en bas des fesses. Je lui ai expliqué ce que je cherchais, mais pour me faire indiquer, d'un regard triste, des tablettes vides.

— C'est à cause des grandes surfaces, il n'y a plus de place pour nous maintenant, les petits commerçants. Heureusement que mon vieux père est mort au début de l'hiver, autrement, vous savez, je suis certain que ça l'aurait tué.

Quand je suis sorti un peu plus tard de la «grande surface», comme il l'avait nommée, j'avais saisi qu'au contraire de ce qu'on imagine parfois, le monde est un endroit tout petit. Pas parce qu'il y manque d'espace, d'air ou de ciel bleu, mais parce que nous aimons nous entasser comme des sardines dans des boîtes de métal. J'avais pataugé dans une mer de gens sales et méchants, mais j'avais trouvé ce que je cherchais... Vivement ma maison, ma haie, mes livres et mes amours !

Quelques feux rouges et aussi quelques verts, des chauffeurs impatients, des crissements de pneus, du soleil dans le pare-brise, des gouttes de sueur le long du nez, une taloche sur le clignotant, nerveux, pressé, pas plus fin, pas plus fou que les autres, et soudain, merde j'ai oublié les cigarettes ! Un coup de volant et bang ! C'est arrivé !

J'ai porté la main à ma tempe, j'ai jeté un regard autour, un véritable carnage, et puis j'ai observé ma main à nouveau... et le sang qui coulait entre mes doigts... Quelques secondes...

— Hostie ! T'avais mis ton clignotant pour tourner à gauche. Qu'est-ce que t'as pensé, d'aller virer de l'autre bord comme ça ? Regarde mon char, tabarnak !

— C'est à cause des cigarettes, j'ai dit au type qui se penchait dans ma fenêtre, tout juste, tout juste avant de me sentir partir.

19

Le coup sur la tête m'avait fait grand bien. L'hôpital, la police, le garage, tout s'était passé dans une relative douceur. Mais l'auto était foutue.

Comme le médecin l'avait mentionné, je l'avais échappé belle. Mon oreille n'était pas bien jolie. On l'avait recousue, et ça n'y paraîtrait plus dans quelques jours. À ce qu'il semblait, je serais aussi beau garçon qu'avant. Des petites pilules grignotaient mon mal de crâne, et le léger flottement que je ressentais ne m'était pas du tout déplaisant. Les quelques cheveux et le bout de peau qui s'étaient fait la malle avaient reçu la visite de tout un chacun. Valait mieux ne pas recouvrir, avait conseillé l'infirmière. Reste que j'avais entendu des cloches et que, les deux premières journées, je n'étais presque pas sorti du lit, sauf pour aller pisser et encore. J'en avais donc profité pour réfléchir, et quelques lumières s'étaient mises à scintiller dans le lointain.

Ainsi ce matin, je me sentais d'attaque. Aussi rayonnant que le soleil tout neuf et dodu qui m'avait cueilli au sortir du lit. Le temps de redresser les oreillers et de m'installer confortablement, une tasse de café tout chaud s'était retrouvée entre mes mains. J'avais remercié les miens et je les avais rassurés sur mon état de santé. J'allais un peu mieux, mais... Déjà à l'hôpital, j'avais compris en les voyant tous s'activer autour de moi que je tenais le bon bout. J'ai ensuite farfouillé sur la table de nuit, puis j'ai avalé un comprimé. Le café était bon, le soleil délicieux, je me suis étiré un bon moment avant de me décider. J'avais mon idée. Rien ni personne n'aurait pu me faire douter.

En entrant dans la cuisine, une couverture sur les épaules, j'ai laissé voguer mon regard dans la pièce pendant que ceux de Gracelle, Rosie, Julie et Eugène me couvaient.

— Je déménage, j'ai annoncé. Je prends la grande chambre.

— Et Jean-Guy ?

— Il comprendra... T'en fais pas, Rosie !

À peine le petit déjeuner terminé, nous nous sommes mis en frais.

— Je veux les deux commodes qui sont au sous-sol !

— T'as rien à mettre dedans, Papito !

— Papito, il veut les deux commodes, j'ai répété. Vous avez juste le temps de m'aider avant d'aller vous instruire.

Ce qui fut fait, et en vitesse, s'il vous plaît. Gracelle nous suivait et posait sa main sur chaque objet, elle semblait s'amuser énormément de tout ce brouhaha.

— C'est joli ! s'extasiait-elle.

C'était pourtant vrai que la chambre commençait à avoir une certaine allure. Restait à y mettre ma touche personnelle, ce que sur-le-champ, les remerciant, je m'apprêtais à faire. J'ai inspecté la petite chambre un moment, mais ça ne me disait pas de tout chambouler, d'aller réveiller tout ce beau monde qui reposait dans la paix et le silence des livres. J'ai longé les rayons de la bibliothèque, caressant tout un chacun du bout de ma tendresse, leur rappelant qu'ils étaient la prunelle de mes yeux. Une main faufilée derrière une rangée m'a rassuré : *Le Vieux Chagrin* y dormait toujours. J'ai baissé la tête en descendant dans le sous-sol, puis j'ai allumé, il y faisait toujours un peu sombre. J'ai visé les posters qui dormaient dans un coin. J'en ai déroulé trois ou quatre et j'en ai choisi un. Du bleu, du vert, du jaune, des bateaux de pêche multicolores, comme on n'en voit presque plus. Un port de pêche en Italie, je crois. J'ai récupéré aussi une toile que j'avais trouvée dans une poubelle il y a plus de vingt ans. Elle représentait une jeune fille vêtue d'une ample jupe orangée, la toile était peinte sur fond de mer et de ciel bleu, des oiseaux blancs voltigeaient autour d'elle, mais étrangement le visage de la fille, pourtant si vivant, ne possédait aucun trait : il était vert, il était beau, on aurait pu dire qu'elle souriait, mais je n'aurais su l'expliquer. Dans une boîte, j'ai ramassé trois paquets d'encens qui n'avaient jamais été décachetés, quelques cassettes, de jolis paysages japonais que Jocelyne avaient encadrés, des chandeliers et des chandelles, une photo de Julie bébé et, perdu au fond d'une boîte, mon vieux *Yi-king*. Je me suis assis, j'ai fermé les yeux puis je l'ai ouvert au hasard : «Si l'on s'attache à l'homme fort, on perd le petit garçon. En suivant on trouve ce que l'on cherche, il est avantageux de demeurer persévérant... » J'étais bien d'accord. J'ai placé le tout dans une boîte plus grande, je suis remonté dans ma nouvelle grande chambre et j'ai déposé la boîte sur le lit. Rosie est arrivée quelques secondes plus tard avec des rideaux qui, je pense, lui avaient appartenu et qu'elle examinait sous toutes les coutures.

— Tu crois que ce serait joli ?

J'ai simplement souri. Ils étaient verts aussi, les rideaux.

Elle grimpait déjà sur la chaise qu'elle avait approchée de la fenêtre, et Gracelle lui enserrait les mollets.

Jean-Guy est entré.

Ses yeux brillaient.

— J'arrive de la banque... Je l'ai, mon bateau ! Regarde, j'ai des photos !

C'était un voilier. Toute la guenille dehors, et gonflée par le vent. Penché sur un côté, une fesse à l'air. Sous un ciel sans nuages, et se mirant dans l'eau claire.

— Il est magnifique, Jean-Guy, vraiment magnifique !

Des flammes dansaient dans ses yeux. Il avait l'air absolument et complètement azimuté. J'ai visé Rosie en souriant, lui indiquant l'Ours du bout du menton.

— Tu veux un café ?

Quand j'ai glissé la tasse devant Rosie, l'Ours me souriait tout en me répétant, une main sur le cœur, qu'il avait maintenant ce qu'il avait le plus désiré au monde. Il s'est encore dandiné en se tordant les mains, puis a levé son pouce, avant de s'évanouir dans une mer de soleil. Je ne l'avais jamais vu aussi agité.

Je suis retourné dans ma chambre et m'y suis enfermé avec le marteau, des clous et l'aspirateur. Et je n'en suis ressorti qu'après l'heure du dîner. La chambre chantonnait maintenant, j'aurais pu me croire à nouveau en ville, d'une certaine façon. La toile et le poster étaient accrochés au mur, la femme sans visage souriait, la douillette s'étirait sous les caresses du soleil, les bâtons d'encens parfumaient l'air d'une odeur de jasmin, je me sentais bien. Mes idées étaient presque limpides, à peine bleutées. Je me suis laissé choir sur le divan, les deux pieds en appui sur l'aspirateur que j'avais ramené par le fil, comme un vieux chien.

— Je vais le ranger, a dit Rosie en s'approchant.

— Non, laisse. J'ai encore besoin de m'éclaircir l'esprit, je monte dans la chambre de Julie, ça fait trop longtemps que ça me fatigue.

— Laisse, elle va finir par le faire...

J'avais entendu Rosie demander plusieurs fois à Julie de nettoyer sa chambre, mais elle n'avait récolté qu'un haussement d'épaules et un regard ahuri. Je n'avais pas envie de partir en guerre pour si peu, mais n'aimais pas beaucoup plus que Rosie en soit réduite à vivre près d'un dépotoir. De toute façon, ça me plaisait de me dépenser : plus je bougeais et plus je sentais l'ordre s'établir dans ma tête. J'avais demandé que personne ne prévienne Jocelyne de mon accident, j'avais exigé leur parole d'honneur. Ça me grattait drôlement sous la calotte. Je sentais une idée poindre. C'était là, tout proche, ça ne tenait qu'à un fil. J'ai plissé le front un moment, mais j'ai renoncé et suis monté.

Il fallait le voir pour le croire ! Sur quatre roues, la chose aurait ressemblé à une roulotte de gitans. Des tiroirs entrouverts pendouillaient des bouts de chiffons qui, dans des contrées lointaines, auraient pu être considérés comme des vêtements. Quelques assiettes sales, deux cœurs de pomme séchés, des pelures d'orange. La poubelle s'étalait sur toute la pièce, jusqu'au lit qu'on devinait à peine, dissimulé qu'il était sous des tonnes de cochonneries. J'avais pu y recenser des vêtements sales, des disques compacts, un cendrier, des feuilles de musique, des fleurs séchées, une casquette, des bas dépareillés, un collier pour un chien que nous n'avions même pas, et encore, et encore... Faut dire qu'ils y vivaient à deux, faut dire aussi, qu'ils auraient pu s'y mettre à deux pour nettoyer. Sa jaquette trouée et percée au milieu du fouillis avait des allures de vieux matou miteux. Il était évident qu'elle se la coulait douce, ma fille, et malgré que je sois un ardent défenseur de la liberté, je trouvais qu'elle y allait un peu fort.

Au bout d'une quarantaine de minutes, c'est chargé comme un âne que je suis descendu vers les poubelles du garage. Il ne me restait qu'à donner un coup d'aspirateur, et vraiment ça vaudrait le coup d'œil. J'espérais qu'elle allait apprécier, mais je n'y comptais pas beaucoup. Je m'attendais plutôt à subir la foudre de son regard pour m'être permis de profaner ainsi son sanctuaire, mais je ne me suis pas arrêté pour autant, je suis un homme courageux... et j'ai soulevé la base du lit à deux mains.

— Merde, c'est quoi ça ? Sacrament ! Rosie, viens !

Ma vieille amie, qui avait monté l'escalier en vitesse, s'est approchée sur la pointe des pieds en étirant le cou. Puis elle a planté les mains sur ses hanches, a penché la tête sur le côté et s'est pliée en deux pour mieux voir. J'ai poussé le lit d'un pied ou deux et je me suis rapproché d'elle.

— Ma foi, ce sont des os humains...

— Des tibias, ai-je précisé.

Ils étaient emballés dans une pellicule transparente. Tassés tous les quatre comme s'ils tremblaient de peur.

— Mais qu'est-ce qu'ils font avec ça sous le lit ? J'aime pas ça. J'aime pas ça du tout, Rosie !

— C'est quoi ? C'est quoi ?

— Des tibias, Gracelle !

— Des tibias ?

— Oui, Gracelle. Quatre... sous le lit de Julie !

Elle attendait au bas de l'escalier, les yeux pointus, et quand je suis arrivé à sa hauteur, tenant les ossements à bout de bras, elle sautillait comme une jeune gonzesse :

— Je veux les voir ! Je veux les voir !

— Voyons, Gracelle !

— S'il te plaît...

Le fait que ces tibias auraient pu être les siens ne semblait pas lui avoir effleuré la cervelle. Elle se retenait pour ne pas éclater de rire. Et Rosie n'était pas très loin de l'imiter. Mais moi, je ne riais pas du tout...

Et c'était pire encore de voir ces os sur la table maintenant, juste à l'endroit où j'avais l'habitude de m'asseoir. Je les ai déposés délicatement dans un sac. Où pouvait-on caser des tibias humains dans une maison normale ? Mais était-ce une maison normale ? Je me suis enfin décidé à les cacher temporairement au fond de la penderie, dans mon ancienne chambre. Rosie et Gracelle rigolaient toujours. Je les ai fusillées du regard avant d'entrer dans ma chambre et je n'ai pas tellement apprécié les entendre pouffer dans mon dos, tandis que je fermais la porte. Étaient-elles inconscientes ou quoi ?

Cette fois, Julie avait dépassé les limites et, si elle pensait s'en tirer en se camouflant dans les flancs de ces deux ricaneuses, j'aimais autant qu'elle sache tout de suite que ça n'allait pas fonctionner. Raide comme une sentinelle devant ma fenêtre, les yeux fixés sur la porte d'entrée, je songeais et je n'aimais pas ce à quoi je songeais. J'en avais des frissons dans le dos. Moi, les os humains, ça me fout la trouille, enfin pas tous les os humains, seulement ceux qui sont séparés des corps à qui ils ont appartenu. J'en avais la nausée, juste de les savoir si près, quasiment sous mon nez. « Attends, ma Julie, tu perds rien pour attendre ! »

Toujours devant la fenêtre, à mon poste comme un seul homme, je les ai vus arriver tous les deux un peu plus tard, la main dans la main, riant et gesticulant sous la morsure du soleil. Je me suis élancé vers la cuisine, bousculant Rosie au passage et me suis planté comme un chêne centenaire devant la porte.

— J'ai faim ! Eh, que j'ai faim !

— Tu vas devoir attendre, ai-je rouspété, on a une petite chose à régler ensemble, Julie ! Suis-moi !

Je l'avais stoppée juste avant qu'elle ne se dépose sur une chaise, et Eugène était demeuré bouche bée devant mon geste. Julie bougonnait ferme dans mon dos, mais ça n'y changeait absolument rien, j'étais décidé comme jamais. Après avoir déballé la marchandise sur mon lit, ce que j'ai regretté *subito*, mais il était trop tard, j'ai hurlé :

— C'est quoi ça, Julie ?

— Ben, c'est des tibias, papa, c'est quoi l'affaire ?

— L'affaire, comme tu dis, c'est qu'ils n'ont pas d'affaire ici... et que quelqu'un quelque part...

S'en est suivi un long silence, un silence de mort, littéralement.

— Mais qu'est-ce que vous faites avec ça ?

Elle s'est dandinée, puis s'est tordu les mains... elle avait les ongles noirs, comme je l'ai déjà mentionné.

— Ben... on les place comme ça, pour former un carré, et on allume des chandelles, des chandelles noires à chaque coin.

— Noires ? À chaque coin ? Puis...

— Je sais pas, moi, on fait des choses.

— Quelles choses ? Julie, quelles choses ?

— Des choses, papa, saint cibole !

— Julie !

— Ben... on appelle des morts.

— Tabarnak de tabarnak !

Je me suis pris la tête dans les mains, lui ai tourné le dos un moment, suis allé à la fenêtre, ai regardé le ciel, puis suis revenu devant elle et l'ai fixée dans les yeux, jusqu'au fond de son âme.

— Est-ce que ça fonctionne, Julie ? Est-ce que ça leur arrive d'apparaître ? Je veux dire, est-ce qu'il y a des morts qui sont déjà descendus ici, en bas... dans ma chambre ?

* * *

En posant le pied dans le cimetière, je mentirais si je ne disais pas que je regrettais déjà l'option que j'avais choisie. L'impression qu'une main, à tous moments, pouvait s'abattre sur mon épaule m'était aussi présente à l'esprit qu'une rage de dents. Mon regard balayait les alentours et je n'aurais vraiment pas aimé répondre à des questions ni expliquer à quoi s'affairait cette jeune princesse satanique aux ongles noirs. Le sol était dur, on n'en finissait plus de creuser.

— Passe-moi la pelle, Julie, ça va aller plus vite.

— T'as peur de te faire pincer ! a-t-elle grimacé.

Même si je me sentais comme un bâton de dynamite dont la mèche était déjà consumée aux trois quarts, j'ai quand même pris le temps d'adresser une vague et rapide prière d'excuse aux squelettes qu'on avait privés de leurs tibias.

— Ce qui vient du cimetière retourne au cimetière et doit rester au cimetière. Regarde ton père, Julie, et promets-le-lui !

La pelle dans le sac et le sac au bout du bras, aussi discrètement que possible, nous avons zigzagué entre les tombes. Un peu plus et je me serais mis à siffler. En traversant le stationnement sur le côté de l'église, nos pas se sont accélérés. Et c'est seulement une fois dans la rue, je m'en confesse, que je me suis remis à respirer.

— T'imagines, Julie, si quelqu'un se trimballait avec les tibias de grand-mère ou de Gracelle, hein ?

— Sont même pas mortes, Papito, comment veux-tu ?

— Quand même, Julie ! Quand même...

— T'es malade, papa... Attends que je raconte ça à Jo !

— Je voudrais bien savoir justement ce que tu lui racontes à ta Jo...

— On parle pas souvent de toi... On n'a pas juste ça à faire, elle a minaudé.

— N'empêche, ma Julie, qu'il y a des choses qui ne se font pas. T'as dépassé les limites, faut pas jouer avec des trucs comme ça. Je suis sérieux, tu sais.

— Oui, j'ai compris, m'a-t-elle dit en se penchant pour me tâter le tibia...

— Julie !

À peine étions-nous arrivés près de la maison qu'elle s'élançait à la course, pressée, aurait-on dit, de fuir ce père aux idées saugrenues... Ses longues jambes fines, son sourire narquois, ses yeux malins, sa fossette à la joue, ses cheveux emmêlés sur sa folle et belle tête, un bonheur qui n'a pas de prix, à engranger en prévision de l'hiver... Tu parles d'une connerie, me suis-je répété : appeler les morts ! J'étais certain que je n'allais pas pouvoir dormir de la nuit ni de la semaine, mais je me sentais joyeux tout de même. Comme si dans le lointain, à cheval sur l'horizon, le bonheur m'avait fait signe de la main. Il faisait bon, je n'avais pas envie d'entrer et je m'en suis allé promener les mains dans les poches, muré dans ma caboche et enveloppé dans l'odeur des cèdres.

Que Jocelyne ne soit pas venue s'apitoyer sur mon oreille recousue et mon crâne luisant ne me laissait pas indifférent, mais ne me courrouçait pas non plus. Le moment était pourtant parfait, c'était le printemps, tout renaissait, l'air parfumé chatouillait les narines, ravivait des douceurs qui fondaient sous la langue comme une sucrerie, le temps idéal pour tenir son âme par la main, pour déposer ses yeux sur le fil de l'eau, pour s'embrasser aussi, et s'inonder de mots doux. Enfin ! Trois mois d'absence, ce n'était rien, mais ça pouvait devenir une éternité. J'avais hâte d'en voir la fin, à condition évidemment que ça finisse bien, sinon je préférerais que ça continue, qu'on ne voie jamais le nom des acteurs défiler au générique.

Quand je suis rentré, ils étaient tous autour de la table. Jean-Guy aussi. Ça mijotait drôlement dans ma cervelle, et je suis demeuré de marbre à les regarder me regarder. Je les ai visés encore un moment tour à tour, puis j'ai baissé la tête, et tout est devenu lumineux soudainement. La situation avait assez duré. Le moment était venu, je me devais d'agir, il me fallait provoquer le destin, pour le meilleur et pour le pire. Inventer n'importe quoi avant de devenir complètement sénile... L'accident, c'était déjà fait... Je me sentais à bout de ressources. J'ai penché la tête, j'ai trouvé mes pieds.

— Je ne mange plus ! j'ai déclaré. Je fais la grève de la faim.

Puis je suis entré dans ma nouvelle chambre et j'ai fermé la porte derrière mon dos. Mon ventre gargouillait. J'avais une faim de loup !

20

Le lendemain, je suis passé faire un tour au travail après avoir laissé Jean-Guy à son voilier, où j'irais le rejoindre plus tard. Je suis arrivé avec une envie irrésistible de partager un café et des mots. Un besoin pressant de les entendre se plaindre me taraudait. Et ça n'a pas manqué, je n'ai pas été déçu. À peine venais-je d'entrer que c'était le déluge. L'accident les avait bien amusés. Ils salivaient comme chaque fois que ça n'arrivait pas à eux. Coincé parmi les filles, j'ai grillé trois ou quatre cigarettes en sirotant mon café. Pas question d'avaler autre chose – mais ça, je ne leur en ai pas parlé : je ne voulais pas leur donner des idées...

Quand Michelle m'a lorgné d'un regard inquisiteur, je me suis contenté de soulever les épaules et de lui sourire.

— Passe me voir plus tard, si tu veux, dit-elle.

On aurait dit qu'ils ne m'avaient pas vu depuis cent ans. Même quand je me levais pour aller pisser, quelques-uns me suivaient. Que je sois venu pendant mon congé les foudroyait. Je les connaissais assez bien pour comprendre ce qu'ils ressentaient. Je suis resté longtemps, même durant le dîner et ensuite encore un peu pendant qu'ils fumaient en caressant leurs petits bedons bien ronds.

Puis je suis monté chez Michelle. Et ma grève de la faim l'a bien fait rire.

— Au moins, c'est bon pour ta taille, elle a dit, en rigolant.

— C'est pas pour la taille, Michelle, c'est pour l'amour !

— Et si elle ne revient pas, qu'est-ce que tu vas faire ? Mourir d'amour ?

— Je ne l'ai trompée qu'une seule fois et je le regrette amèrement, mais je te jure, et je te prie de me croire que, s'il ne s'agissait que de ça, elle serait déjà revenue depuis belle lurette.

— T'es certain ? Tromper sa blonde, tu sais, c'est bien suffisant !

— Pas l'ombre d'un doute, Michelle, elle serait là comme un seul homme. Elle n'aurait pu s'empêcher. Demeurer trois mois sans me torturer, c'est pas normal dans son cas. Je ne te dis pas qu'elle a oublié, ça jamais, mais je suis absolument certain qu'il s'agit d'autre chose. J'en mettrais mes couilles sur le bûcher.

— Holà !

Michelle gardait son regard planté dans le mien comme si elle attendait la suite. Une petite flamme dans son œil me narguait, vacillante, comme un doute.

— Je te dis qu'elle aurait trouvé le moyen de ramener sa gueule sans perdre la face, pour me martyriser à mort avec plaisir. C'est ce qu'elle a toujours fait depuis que je la connais, mais tout à coup, plus rien. Je te le dis, ça ne colle pas, Michelle. Il y a autre chose. Le diable est dans la cabane !

— Elle n'est pas si méchante !

— Tu ne comprends pas. Elle n'est pas méchante, elle est comme ça, c'est tout. C'est une teigne, mais c'est aussi la plus gentille fille du monde, et c'est pour ça que je l'aime. Elle ne peut pas être ainsi et, soudainement, devenir une autre. Se priver du plaisir de me mettre le nez dans ma merde ? Jamais ! Je te jure qu'il y a autre chose...

— Tu ne crois pas... qu'elle aurait...

— Nan, et c'est pas de la prétention de ma part. Je sais qu'elle m'aime, même quand on veut s'assassiner, on s'aime encore. Je suis certain qu'elle est aussi malheureuse que moi. J'espère juste qu'il ne lui est rien arrivé.

— T'as peut-être raison !

— Pas peut-être, Michelle, j'ai raison ! ai-je conclu en souriant.

Et elle souriait aussi. Après avoir convenu que je prendrais encore quelques jours, j'ai laissé mes lèvres s'amuser un moment sur ses joues, puis je suis parti avec un tas d'idées qui se faisaient la guerre dans ma tête.

* * *

Quand je suis arrivé à la maison, Rosie officiait devant son fourneau, et ça m'a fait mal tellement ça sentait bon. Elle m'a fixé comme si elle voulait m'accrocher au mur et j'ai soutenu son regard en me versant un verre de flotte. Chacune de ses rides était exactement à la même place, rien ne semblait avoir changé depuis le matin. J'aurais bien voulu aller gratter un brin sous sa calotte, mais j'ai préféré m'abstenir. Je me suis plutôt tourné vers Gracelle et me suis informé de sa santé. Elle s'amusait follement, ses yeux dansaient, son âme gigotait. Du train où allaient les choses, juste à me regarder vivre mes petites émotions, il était clair qu'elle allait bourlinguer jusqu'à deux cents ans, sans jamais éprouver le besoin d'ouvrir la télé. Au moins, elle, je savais où elle nichait. De son côté, Rosie touillait de plus en plus rapidement sa mixture de sorcière, question de s'assurer que les odeurs qui s'en dégageaient parviennent jusqu'à mon ventre affamé. Une bonne bière aurait sans doute fait mon affaire, mais il n'était pas question que je fléchisse, j'étais prêt à aller au-delà du ridicule. N'y étais-je pas déjà, de toute façon ? Une grève de la faim, d'où m'était venue une idée pareille ? Il était trop tôt pour aller chercher Jean-Guy à la marina.

Assis au fond de ma chaise bleue, les pieds en appui sur le lit, je me suis martyrisé un moment, puis me suis enfoncé les doigts dans les oreilles, question d'évaluer la situation. L'instant d'après, je reposais les pieds sur le sol et les coudes sur mes genoux. Mon regard s'est perdu quelque part entre les fentes du plancher, puis j'ai vaguement senti qu'il manquait quelque chose, et je me suis relevé. Puis j'ai foncé vers le sous-sol. Comment n'y avais-je pas songé plus tôt ? Je l'ai attrapé à bras-le-corps et je suis remonté en vitesse.

— Mon tapis... j'avais oublié mon tapis, j'ai lancé à Rosie en me dirigeant vers la chambre.

Magnifique ! J'ai enlevé mes bas en sautillant d'une jambe sur l'autre. C'était d'une douceur, un vrai rêve ! J'ai promené la plante de mes pieds dessus pendant une éternité, puis je me suis remis à penser à ma Jo. Peut-être était-elle chez elle ? Mais cette possibilité n'arrangeait rien, car ce n'était pas de cette façon que je désirais que le destin s'accomplisse. Attendre patiemment, comme si plus rien d'autre n'existait dans la vie, c'est ça que je voulais. Attendre sans attendre aurait été encore mieux, plus zen si on veut, mais là, quand même...

J'étais certain que Julie et Rosie avaient fait le nécessaire. En tout cas, Julie, c'est certain. Un sixième sens m'avertissait toujours quand elle complotait avec la Jo, ce qui n'était pas rare, et ne datait pas d'hier. Elles étaient déjà comme ça quand Julie était toute petite, souvent roulées en boule dans quelque recoin, en train de palabrer à voix basse.

Tout comme récemment d'ailleurs, quand Julie avait prétendu qu'elle allait passer quelques jours chez la Clo. Elle était allée chez la Jo, ou tout au moins quelque part avec elle, je n'en doutais même pas. J'étais donc absolument certain que Julie ne s'était pas privée du plaisir d'annoncer que Papito avait entrepris une grève de la faim. Et c'est si clairement que j'entendais la Jo rigoler que j'avais l'impression qu'elle était là dans la chambre, étendue sur le lit, à deux pas de mon cœur. Je la voyais se tenir le ventre à deux mains et se retenir de mouiller sa petite culotte.

Plus tard, en fin de journée, j'ai entendu la porte d'entrée couiner, tout mon corps s'est raidi d'un seul coup, mais ce n'était finalement que Julie et Eugène, et je me suis senti une immense envie d'aller pisser. Quand je suis revenu dans ma chambre, je frissonnais comme un moineau. J'ai monté le chauffage, me suis attrapé un livre et la douillette, et je me suis laissé choir à nouveau dans ma chaise, les pieds bien ancrés dans mon vieux tapis gris.

Les bruits de la cuisine me parvenaient, tout juste si je ne les entendais pas mastiquer. Je me sentais mis au rencart, seul, rejeté, en dehors de la famille. Était-ce dû au soir qui tombait sur la fenêtre ou au simple fait de m'être placé à l'orée des miens, tout près de la chaleur, mais sans pouvoir la ressentir ? Je ne me sentais pas bien le moins du monde.

Je me suis levé et j'ai fermé le rideau, puis comme je reprenais place sous la douillette, j'ai de nouveau entendu la porte d'entrée grincer.

Encore une fois mon corps s'est raidi, mes nerfs se sont roulés en boule. L'instant d'après la voix de l'Ours me parvenait. Puis il est apparu.

— Merde, j'ai dit, je t'avais oublié !

— C'est pas grave, il a fait, je me suis arrangé. D'ailleurs si tu veux venir voir demain, je crois que je t'ai peut-être trouvé une auto.

— Ah oui ? Magnifique !

Ensuite, il s'est installé sur le rebord du lit, s'est glissé un main dans les cheveux, a baissé la tête, puis l'a relevée avec un petit air narquois sculpté au coin des lèvres et ses gros doigts labourant toujours sa chevelure épaisse.

— T'es vraiment sérieux ?

— Ben oui, Jean-Guy, qu'est-ce que tu pensais ?

Je lui ai répété les mêmes sottises qu'à Michelle et lui ai mentionné aussi que je n'avais plus le choix maintenant que j'avais parti le bal. Il était du même avis, lui aussi, mais s'inquiétait de savoir où j'allais m'arrêter. Ne le sachant pas moi-même, j'ai préféré le rassurer. Ses muscles se sont détendus et j'ai poursuivi la conversation en lui demandant des nouvelles de son bateau. À l'aide de quelques petits mots simples, qu'il allait chercher un à un, il m'a dit qu'il était heureux, que c'était comme il avait pensé. Et je lui ai dit, avec des mots bien trop compliqués, que me sentir heureux, c'est tout ce que je désirais, moi aussi.

— Tu l'aimes autant que ça ?

— Ben voyons, Jean-Guy ! Qu'est-ce que tu croyais ?

— Alors pourquoi t'as jamais voulu rester avec elle ? il a demandé timidement.

— Parce que je suis un crétin, Jean-Guy.

— Ah bon ! il a fait.

La soirée a continué ensuite sur un chemin cahoteux. M'essayais-je à lire, qu'après quelques lignes j'étais complètement perdu. Et si je me levais, ce n'était que pour me rasseoir dans la seconde et me relever dans la suivante, sans m'expliquer pourquoi je l'avais fait. De temps à autre, je tendais l'oreille vers le salon, d'où les bruits de la télé s'échappaient. Je regardais ma montre à tout moment, le temps s'était installé dans la chambre comme un gros nuage gris, sa respiration lourde marquait les secondes, Jocelyne me manquait plus que jamais, une drogue dure dont je ne pouvais me passer.

Je me disais, ça suffit, tu t'abaisses, tu te trahis, tu coules ton navire, t'es bon à enfermer, mais d'un autre côté, comme des étoiles crevant le noir du ciel, des élans de fierté s'emparaient de mon ventre et, l'espace d'un frisson, je sentais que j'étais l'homme que j'avais toujours voulu être. Reste qu'au bout d'un certain temps, après que la maison eut sombré dans un profond sommeil, j'ai été bien obligé d'admettre qu'il se faisait tard, et que mon associé Dieu le Père était probablement allé se coucher. Je n'étais pas en état de dormir. Et ça n'avait rien à voir avec les tibias... Je me suis penché sur la fenêtre. Les lampadaires de la rue scintillaient, des bouts de lune s'entortillaient dans les cèdres. C'était bien la nuit et, même si elle n'avait rien de vilain dans le regard, elle me filait du poison dans les veines.

La chaleur du salon m'a accueilli. Un sac de croustilles me souriait sur la petite table, j'ai détourné les yeux. Des lueurs s'échappaient du poêle de Rosie, s'emparaient de la noirceur un moment avant de s'effilocher et de venir mourir sur le tapis. Je me suis approché, j'ai ouvert la porte du poêle pour regarder la braise qui, réveillée par mon souffle, s'est mise à siffler comme une vipère dont j'aurais violé le repaire. Pour empêcher Rosie de craquer une allumette, il aurait fallu s'appeler Dieu. C'était plus fort que son vouloir, elle ne pouvait pas se contrôler. Rien ne filtrait du deuxième, ils devaient tous rêver aux anges. Un vent léger soufflait à mes oreilles comme si je les entendais respirer.

Je me sentais mieux et j'ai décidé d'aller prendre un goulée d'oxygène dehors, pendant qu'il en restait encore. La nuit soupirait. Un oiseau flottait dans l'air noir. De grands bras pendaient aux arbres comme pour m'inviter. La lune gentiment me dessinait un sentier. Je suis parti vers la rue. L'idée qu'elle puisse appeler et que je ne sois pas là m'a obligé à m'arrêter après seulement quelques pas. Ma montre marquait une heure trente. J'ai repris une allure que je voulais nonchalante, en cherchant les étoiles, en essayant de ne plus penser à elle.

Puis des phares sont apparus au bout de la rue et j'ai placé ma main en visière.

C'était un immense camion à quatre roues motrices. Il avait ralenti et je pouvais distinguer, quoique vaguement, qu'au moins deux types y prenaient place en plus du conducteur. Je me suis senti apeuré... Le camion s'était arrêté. Pour quelle raison, je n'en sais rien, mais j'aurais bien aimé le savoir. On aurait dit un animal aux aguets, les yeux fixés sur sa proie. Tassé sur le côté de la rue, les deux pieds dans l'herbe humide, je me suis concentré, essayant d'endiguer les débordements de mon imagination débridée. Mais trop peu et trop tard, car en quelques secondes mon cerveau flambait comme une torche – une couleuvre le long de l'échine, et des frissons partout. Une vraie histoire de fous...

Une sale histoire où des types, juste pour s'amuser, foutent une raclée à un monsieur de mon âge qui, ne pouvant dormir, était sorti pour prendre l'air. Les types n'y vont pas de main morte. Du sang sur l'asphalte. Le pauvre homme se traîne, se tord, gémit, réclame un peu de pitié, mais plus il le fait, plus les types semblent s'amuser. Le pauvre homme se relève, mais n'a pas fait pas trois pas que les types sont déjà revenus, et voilà qu'il remettent ça ! Des coups de pied dans les côtes, et un de plus dans les couilles... Trois matous miteux, enragés, bourrés de puces, avec une souris entre les pattes. Des griffes comme des poignards, des yeux purulents. La photo de la victime en première page du journal... Le journal sur le comptoir du restaurant... Mon Dieu, que c'est dommage ! Un type qui n'aurait pas fait de mal à une mouche !

Puis le camion a poursuivi sa route sans se préoccuper de moi, comme si je n'avais jamais existé. Et je me suis remis à respirer en me dirigeant vers la maison, d'un pas un peu plus rapide toutefois. La Jo avait repris sa place dans mon cerveau. J'ai accéléré encore un peu, car ma vessie me lançait maintenant des messages angoissants.

Comme j'arrivais près de l'entrée, des lumières ont crevé la noirceur à nouveau. Les deux pieds sur le gazon, une main à me serrer le boyau pour l'empêcher d'éclater, j'ai attendu que l'auto soit passée. Pendant qu'elle poursuivait sa route, j'ai repris la mienne. Et, comme je m'apprêtais à enfiler l'entrée au pas de course, des phares rouges ont scintillé, m'attrapant un œil juste au dernier instant. J'ai stoppé, reculé, mais l'auto repartait déjà et j'ai filé vers le balcon.

Énervé, certes je l'étais. Merde, je me suis dit pendant que ça bouillonnait à mes pieds, arrête un peu, calme-toi ! Écoute la nuit chanter, prends le temps de respirer, sinon tu vas te mettre à friser. J'ai refait quelques pas, le menton dans les étoiles, et me suis retrouvé dans la rue encore une fois.

De la fumée s'échappait d'un tuyau d'échappement. L'auto était à bonne distance sur la droite, et juste devant le terrain vague, il m'a semblé. Je me suis avancé doucement, vaguement inquiet. Un pressentiment m'habitait. Je n'osais ni trop m'approcher, ni reculer, ni trop regarder, de crainte d'intimider la personne qui se trouvait dans l'auto. Mes nerfs s'étaient remis en boule. Mes folies de tantôt revenaient me hanter. J'ai quand même continué à marcher vers l'auto. J'ai traversé la rue et me suis installé dans un petite marche de santé. J'ai fait quelques pas, puis je me suis arrêté à nouveau. J'ai visé le ciel, me suis planté les mains sur les hanches et me suis creusé le dos en prenant une profonde respiration. Un pas ou deux encore, une cigarette – une petite flamme comme un cierge dans la nuit – et me revoilà reparti, une main dans la poche et l'œil en faction.

L'auto s'était, en effet, garée en face du terrain vague. Je regrettais de m'être aventuré jusque-là. J'aime garder une certaine distance avec les gens, la pellicule du jour me manquait et, comme ça, en pleine nuit, avec l'obscurité qui gommait tout, j'avais l'impression que l'on se touchait presque. J'ai lancé mon mégot en accélérant le pas quand un bruit de portière a griffé la nuit. Je ne me suis pas retourné, j'ai fait comme si... Puis j'ai entendu mon nom... Comme une seule voix au monde pouvait le prononcer, comme si elle l'avait enroulé dans du miel.

21

Elle souriait, se moquait peut-être un peu aussi – ce n'était pas facile de repérer ses yeux dans la pénombre. J'étais cloué sur place, sidéré. Je me suis approché.

— T'as vu le diable ? elle a demandé.

— Non, sa sœur !

— Ça fait longtemps...

— Comme c'est pas permis, j'ai murmuré.

— T'as pas trop maigri, elle a rajouté, avec cet air moqueur que je n'avais plus revu depuis des mois.

Je me suis avancé encore et j'ai ouvert mes bras. J'ai glissé les mains sous son veston pour entendre sa peau me raconter. Je n'en revenais pas qu'elle soit là. J'avais envie de crier, de réveiller tout le quartier pour lui annoncer la bonne nouvelle. Mais je n'ai rien dit, me suis contenté de la serrer, de sentir ses cheveux dans ma figure, de respirer son parfum, de m'y noyer, d'espérer qu'elle n'était pas venue pour me larguer...

— Tu m'as tellement manqué !

Elle n'a rien répondu. Je me suis senti inquiet. Par réflexe, j'ai cherché ses yeux. Puis j'ai eu froid. Elle avait gardé les mains croisées sur sa poitrine, ses avant-bras comme un mur empêchaient nos cœurs de se toucher. Et j'ai réalisé soudain que j'étais seul en piste.

— Ça va pas ? j'ai demandé.

— Si on allait faire un tour, elle a simplement répondu.

La cabine a sombré dans le silence et y est demeurée pendant de longues minutes. Des masques sur le visage, des palmes aux pieds, nous nous enfoncions dans des profondeurs où nous risquions de nous perdre. Je l'examinais de temps à autre, elle surveillait la route. Nous n'allions nulle part. La gêne m'envahissait de plus en plus, je trouvais que malheureusement tout ça nous ressemblait. J'aurais tellement voulu que l'on se saute dans les bras, que l'on se dévore la bouche, que je l'envoie valser dans les airs, et je le lui ai dit.

— On n'est pas dans un film, elle a répliqué. C'est plus compliqué que ça ! Il s'est passé tellement de choses... si tu savais...

— Je regrette tellement ce que j'ai fait avec Louise !

— Arrête ! C'est pas ça.

— Tu m'as pardonné ?

— Es-tu devenu fou ?

— C'est quoi alors, je ne comprends pas. Ça fait des mois...

— Trois, trois mois, maintenant...

Puis elle s'est tue à nouveau et j'ai recommencé à frissonner en gardant les yeux sur cette jupe étrange qu'elle portait. On aurait dit qu'elle avait été confectionnée à partir d'une pièce de tissu trouvée au fond de la boutique d'un antiquaire, et c'était très beau. Elle avait enfilé seulement un veston, sans blouse, quatre boutons et c'en était fait, mais je ne me suis pas senti plus heureux pour autant. Mes yeux caressaient son ventre. Je me suis offert une petite glissade le long de ses cuisses, puis je suis regrimpé, et il m'a semblé qu'elle avait attrapé une once ou deux. J'aimais cette femme à en crever. J'ai laissé mes yeux se promener sur son visage un long moment, et elle savait que je la regardais.

— Tu es la plus belle femme du monde, j'ai déclaré.

Et c'est comme ça, soudainement, que j'ai compris pourquoi je n'avais pu lui dire que je l'aimais avec les seuls mots clairs et limpides qui l'exprimaient : je t'aime. Et je me la suis offerte encore, par petits bouts, comme des perles rares que je tirais une à une d'un coffret pour les porter à mes yeux. Dieu, qu'elle m'avait manqué ! Puis elle s'est tournée vers moi, un sourire railleur sur les lèvres. Et j'ai baissé les paupières.

— Est-ce que tu sais à quel point tu es belle ?

— Tu veux dire quoi ?

— Ben, je sais pas... quand tu penses à toi, quand tu te regardes, quand tu t'imagines...

— Des fois oui, des fois non. Mais plus souvent, oui, elle a dit finalement, avec des petits lampions dans les yeux.

Comment pouvait-on vivre si longtemps sans comprendre et en finassant autant que je l'avais fait ? C'était gros comme le monde pourtant, et aussi évident que le soleil : pas une seconde ne s'était écoulée depuis que je la connaissais sans que vienne me torturer la peur de la perdre. Pas une simple inquiétude, ni même de l'angoisse, encore pire que la crainte de mourir, la plus grande singerie que l'on puisse imaginer. Les mots défilaient devant mon regard comme sur un écran géant, je savais que ça ne valait pas la peine d'essayer de regarder ailleurs, c'était écrit partout. Je m'étais toujours senti trop petit, indigne d'elle, de sa beauté, de son âme, de son sale caractère, de sa manière d'empoigner la vie et de savoir dire non aussi. Elle était d'une étrange façon tout ce à quoi j'avais toujours aspiré, j'aurais voulu lui ressembler.

Je l'ai regardée à nouveau... Je ne me trompais pas. Ça me tuait d'avoir autant besoin qu'elle m'aime, mais c'était tout ce dont j'avais besoin dans la vie : savoir que cette femme puisse me trouver beau. C'était comme ça, voilà tout ! Quelle étrange idée j'avais eue de choisir, parmi toutes les femmes de l'univers, la plus belle et la plus dangereuse ? Une vipère capable de se faire tuer plutôt que de salir son âme, capable de souffrir tout autant que d'aimer. J'en avais plein les bras juste d'y songer, mais était-ce vraiment moi qui l'avais choisie ?

— T'es toujours là ?

Nous étions revenus à notre point de départ. Tout près de la maison, à l'ombre de la haie de cèdres. Elle avait éteint le moteur, s'était retournée vers moi.

— Je ne sais vraiment pas par où commencer, elle a murmuré. Si tu savais comme c'est compliqué.

Je me préparais à n'importe quoi, depuis le temps que je me torturais, mais ce que j'ai entendu n'avait rien à voir avec les sottises que j'avais imaginées : ses dessous en dentelle, les mains sous sa jupe et autres conneries du même acabit.

— Tu te souviens en janvier dernier, quand tu démolissais la cabane derrière la maison. Et après, dans le garage, quand...

— Ouais, j'ai répondu en souriant.

— Ben, tu vas moins rigoler dans une seconde, mon beau !

J'ai posé ma main dans celle qu'elle me tendait. Elle m'a fixé pendant une éternité puis, lentement, sans quitter mon regard, elle a délicatement approché ma main de son ventre. Je n'ai pas bougé pendant six cents ans, puis j'ai levé les yeux vers elle qui maintenant avait abaissé les siens vers ma main, que je n'osais toujours pas retirer.

— Dans le garage, au froid !

— Trois mois, maintenant... Qui aurait pu imaginer une chose pareille ?

— Je n'en reviens pas, ma Jo !

— Ben moi non plus...

— Et tu ne m'as rien dit...

Je crois que je souriais, mais je ne sais pas pourquoi. Ça n'avait aucun sens. Mes pensées se bousculaient. Elle avait l'air si inquiète que j'essayais de l'être moi aussi, mais ça ne me venait pas. Rien en moi ne semblait vouloir se révolter, je n'arrivais pas à paniquer.

— Dans le garage ! j'ai déclaré à nouveau.

— Les fesses à l'air et au fret ! elle a couiné.

J'ai glissé ma main sur sa cuisse et, me penchant vers elle, j'ai déposé mes lèvres sur sa joue. Et les y ai laissées pendant de longues minutes, sans appuyer... Et pour la première fois en douze ans, je lui ai dit « je t'aime »... Et le ciel ne m'est pas tombé sur la tête, la terre ne s'est pas ouverte sous mes pieds, les volcans ne se sont pas réveillés et le tonnerre n'a pas grondé... Le chuchotement d'un oiseau, oui, peut-être, le bruissement d'une feuille, sinon c'est tout. Mais je savais que rien ne serait plus pareil.

— Je t'aime, j'ai répété. Je t'aime tellement, si tu savais...

La dernière chose au monde que je désirais, c'était que l'on discute. Mais j'étais certain que nous n'y échapperions pas. Dans l'art de se torturer, de se compliquer la vie pour en arriver à ne même plus pouvoir se rappeler comment tout avait débuté, je crois bien que nul sur la sainte planète ne nous arrivait à la cheville.

— Qu'est-ce qu'elle en dit, Julie ? j'ai demandé.

Elle a posé les mains sur le volant, puis elle est demeurée un long moment silencieuse, avant de se retourner vers moi. J'avais déjà compris que je n'allais pas apprécier.

— Vide ton sac, ma Jo, je suis prêt à tout !

Elle a détourné les yeux, son regard est allé se perdre quelque part devant l'auto, elle serrait le volant comme si elle allait aborder une courbe dangereuse.

— C'est Julie ? Tu ne vas pas m'apprendre qu'elle est enceinte elle aussi !

— Plus maintenant... elle a murmuré. Plus maintenant, mon beau.

Un doigt de champagne, une once de poison, quelle main tu choisis ? Sacrée vie !

— J'aurais dû t'en parler.

— Oui, t'aurais dû...

— Même Rosie ne le sait pas, ni Eugène d'ailleurs, personne. Elle ne voulait pas.

Je suis sorti de l'auto. Me suis coulé dans l'ombre. Mes oreilles brûlaient. Mon cœur criait. Je ne savais pas si je devais me jeter en enfer ou dans ses bras. Un vrai dépotoir... Une ruelle noire... Puis j'ai entendu le moteur qui ronronnait à nouveau et j'ai foncé vers la voiture.

— Tu aurais dû m'en parler ! j'ai répété.

— Je te dis que je ne pouvais pas !

— Je sais quand c'est arrivé en plus, mais je ne pensais pas que ça pouvait aller aussi loin ! Je ne te pardonnerai jamais ça, ma Jo.

Mes vieux démons refaisaient surface, une envie de souffrir montait dans ma poitrine, et je savais que si je la laissais atteindre ma calotte, j'allais devoir y succomber.

— Pourquoi c'est toujours si compliqué, ma Jo ?

— Je ne sais pas, elle a dit, avec une lueur de désespoir dans les yeux.

— Oh non, ma Jo, tu ne vas pas me faire ça !

Et ensuite, on a pleuré un bon coup, une bonne vingtaine de minutes, je dirais, à chaudes larmes et sans discontinuer, avant de recommencer à discuter. Elle était vraiment fière d'être enceinte et, maintenant que le gros du chemin avait été débroussaillé, elle n'arrêtait pas d'en parler. Elle m'a montré sa bedaine, pas bien grosse à vrai dire, j'y ai posé la joue, pour me faire rabrouer un instant plus tard, à cause de quelque chose dans mon pantalon qui, à son dire, n'aurait pas dû s'y trouver.

Puis on a reparlé de Julie, et j'ai encore pleuré. Jocelyne avait beau me rassurer, m'expliquer que ça s'était bien passé, que Julie allait bien, que je n'avais pas à me tracasser, ça me crevait le cœur. Et encore plus, qu'elle ne soit pas venue me voir, moi, son Papito.

Pendant un court instant, on n'a plus prononcé une seule parole. Les étoiles étaient nettes et scintillantes, le monde s'était assoupi. Les genoux remontés vers son ventre, Jocelyne semblait perdue dans ses pensées. Une étrange lueur brillait dans ses yeux et, d'une certaine façon, me la rendait étrangère. Que s'était-il passé durant ces trois mois d'absence ? Je lui ai demandé si quelque chose n'allait pas, en cherchant son regard, mais elle est aussitôt retournée se perdre dans la nuit. C'était ma Jo. Elle était revenue. Un homme ordinaire, elle n'en avait que faire.

***

Jocelyne me suivait et nous avancions comme des voleurs. Un doigt sur la bouche, quelques pas feutrés, et nous y étions. J'ai allumé une chandelle sur la table de nuit et le temps que nos yeux s'habituent, la chambre s'est mise à danser.

— Regarde, ma Jo !

— Mon Dieu, comme c'est beau !

Elle regardait partout mais moi, je ne voyais qu'elle. Des sourires, des mots doux, et aussi des mains partout. Quand le soleil est apparu à

la fenêtre, on s'est fait une cabane sous les draps et, l'instant d'après, des bruits nous sont parvenus de la cuisine.
— C'est Rosie, ma Jo, plus un seul mot, elle a des oreilles partout.

À pas de chat, lentement, je me suis glissé jusqu'à son ventre pendant qu'elle se plaquait un oreiller sur la tête. On s'est aimés comme dans un couvent, un vrai péché, et ça faisait tout drôle, pas seulement à cause du silence et de Rosie, mais à cause du bébé, à qui j'ai soudainement pensé en dégustant sa mère juste sous son nez.

Quand mon réveil a marqué sept heures, j'ai entendu celui de Julie sonner, et quelques minutes plus tard ses pas dans l'escalier. J'ai patienté encore. Puis ceux d'Eugène ont résonné à leur tour. Gracelle discutait avec Rosie, il ne manquerait donc que Jean-Guy, qui se levait vers les huit heures.

Quand j'ai débarqué à la cuisine, un couverture sur les épaules, ils étaient tous plus ou moins accrochés à leur tasse. Je n'ai pas dit bonjour ni rien, j'ai bâillé et me suis traîné les pieds. Une vraie face d'enterrement. Et, quand Rosie m'a regardé, je me suis contenté de soulever les épaules et de souffrir autant que faire se peut.

— Ça va, papa ?

J'ai visé ma fille sans rien dire puis, tenant la couverture d'une main, j'ai laissé tombé de l'autre deux tranches dans le grille-pain. Je leur faisais dos, je ne me suis pas retourné. J'ai plutôt regardé par la fenêtre. Il allait faire une belle journée, le ciel était bleu, j'avais toutes les peines du monde à me sentir malheureux. J'ai récupéré les deux premières tranches, puis j'en ai laissé tomber deux autres, avant de me pencher pour attraper le beurre sur la table. Je ne leur ai pas adressé la parole. Ils gigotaient tous au bout de ma ligne. J'ai donné encore de la corde. Je me suis traîné à nouveau les pieds, cette fois jusqu'à la porte, et j'ai poussé le rideau nonchalamment en jetant un coup d'œil dehors. Huit yeux ont replongé dans les assiettes quand je me suis retourné pour saisir le fromage en maugréant des sentences inaudibles.

Il y a de ces moments dans la vie qui rachètent bien des misères et je prenais bien mon temps pour celui-là, qui valait son pesant d'or. Après avoir découpé une orange, j'ai déposé les quartiers bien en vue sur un côté de l'assiette et de l'autre côté, des tranches de kiwi. Puis je me suis retourné un moment et j'ai laissé planer un regard, que je voulais aussi triste que la mort.

— Où il est le plateau, Rosie ?

— Dans l'armoire du bas.

— Merci, Rosie.

Comme si ces deux mots pesaient une tonne, et toute la misère du monde.

Un peu de confiture dans un petit plat décoratif. C'était du meilleur effet. Papito se sentait bien. Quand j'ai versé la deuxième tasse de café, je n'ai pu retenir un sourire mais, heureusement, j'avais le dos tourné. Le tout m'a paru bien lourd pour une seule main mais, en y mettant tout mon cœur, j'ai pu leur passer sous le nez en gardant une certaine dignité. L'autre main serrant la vielle couverture au ras de mon cou.

Une fois dans la chambre, j'ai repoussé la porte du pied et, après avoir filé le plateau à la Jo, je me suis glissé dans le lit en vitesse. Adossés à nos oreillers, le plateau sur les genoux, nous avions une bizarre d'allure.

— Ça ne te fait pas penser à quelque chose, ma Jo ?

— Je ne vois pas. Qu'est ce que tu veux dire ?

— Pas si fort, j'ai murmuré. Penses-y comme il faut.

— Puisque je te dis que ça me fait penser à rien !

— John et Yoko, ma Jo !

La porte n'avait bougé que d'un millimètre à peine. Bien calés dans les oreillers, le plateau sur les genoux, nous retenions notre souffle. Le paradis ! Puis la porte s'est entrouverte un peu plus, et encore un peu. Finalement, le bout du nez de Julie s'y est encadré avec, juste au-dessus, l'œil d'Eugène camouflé derrière une mèche de cheveux.

— Jo ! *Shit !* T'es là !

Et les autres ont suivi en gesticulant et en riant. Câlin s'est faufilé entre les jambes de Rosie, puis Jean-Guy est apparu en se frottant les yeux. Et le lit n'a pas bougé d'un poil quand Gracelle s'y est déposée.

UNE TOUTE PETITE HISTOIRE SANS COUP DE FEU
de René Girardet
composé en Aldus roman de corps 11
a été achevé d'imprimer en mars 2002
sur les presses de AGMV Marquis
pour le compte des Éditions de la Pleine Lune

Imprimé au Québec (Canada)